글 강진희

대학에서 문예창작과를 졸업한 뒤 방송 작가를 거쳐, 지금은 어린이를 위한 재미있는 콘텐츠를 만들고 있습니다.

그림 김광일

2003년에 만화계에 발을 내디뎠습니다. 지금은 어린이들이 공부와 재미 두 가지를 동시에 잡을 수 있도록, 재미난 학습 만화를 그리는 데 최선을 다하고 있습니다. 주요 작품으로는 《불멸의 혼 성웅 이순신》, 《캐럿의 인체 대탐험》, 《문제로 개념 잡는 초등 영문법》, 《who? 한국사 정도전》 등이 있습니다. 이 책의 채색은 우선옥, 박희정 작가가, 펜선은 서성관 작가가 함께했습니다.

감수 안광필(명일 중학교 체육 교사)

 스페셜

손흥민

개정 1판 1쇄 발행 2022년 10월 26일
개정 1판 13쇄 발행 2024년 4월 29일

글 강진희 **그림** 김광일 **감수** 안광필 **표지화** 신춘성
펴낸이 김선식

부사장 김은영
어린이사업부총괄이사 이유남
책임편집 최인수 **디자인** 이정아 **책임마케터** 안호성
어린이콘텐츠사업1팀장 최인수 **어린이콘텐츠사업1팀** 김은지 강푸른 마정훈
마케팅본부장 권장규 **마케팅3팀** 최민용 안호성 박상준 송지은
미디어홍보본부장 정명찬 **뉴미디어팀** 문윤정 이예주
편집관리팀 조세현 김호주 백설희 **저작권팀** 한승빈 이슬 윤제희 **제휴사업팀** 류승은
재무관리팀 하미선 윤이경 김재경 이보람 임혜정
인사총무팀 강미숙 지석배 김혜진 황종원
제작관리팀 이소현 김소영 김진경 최완규 이지우 박예찬
물류관리팀 김형기 김선민 주정훈 김선진 한유현 전태연 양문현 이민운
북디자인 포맷 박연주
외부 스태프 추가글 하인수

펴낸곳 다산북스 **출판등록** 2005년 12월 23일 제313-2005-00277호
주소 경기도 파주시 회동길 490 **전화** 02-704-1724 **팩스** 02-703-2219
다산어린이 카페 cafe.naver.com/dasankids **다산어린이 블로그** blog.naver.com/stdasan
종이 IPP **인쇄 및 제본** 상지사 **코팅 및 후가공** 평창피앤지

ISBN 979-11-306-9260-9 14990

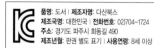

품명: 도서 | **제조자명:** 다산북스
제조국명: 대한민국 | **전화번호:** 02)704-1724
주소: 경기도 파주시 회동길 490
제조년월: 판권 별도 표기 | **사용연령:** 8세 이상

※ KC마크는 이 제품이 공통안전기준에 적합하였음을 의미합니다.

손흥민
Son Heungmin

다섯 어린이

자신만의 멘토를 만날 수 있는
who? 시리즈

　다산어린이의《who?》시리즈는 어린이들은 물론 어른들에게도 재미와
감동을 주는 교양 만화입니다. 《who?》시리즈는 전 세계 인류에 영향력을
끼친 인물들로 구성되었으며 인물들의 삶과 사상을 객관적으로 전해
줍니다.
　이처럼 다양한 나라와 분야에서 활약한 위인들의 이야기를 통해 과학,
예술, 정치, 사상에 관한 정보는 물론이고, 나라별 문화와 역사까지 배우게
될 것입니다. 《who?》시리즈의 가장 큰 장점은 위인들이 그들의 삶에서
겪은 기쁨과 슬픔, 좌절과 시련, 감동을 어린이들이 함께 느낄 수 있다는
것입니다. 어린이들은 이 책을 읽으면서 폭넓은 감수성을 함양하게 됩니다.
　《who?》시리즈의 어린이 독자들이 책 속의 위인들을 통해 자신만의
멘토를 만나 미래의 세계적인 리더로 성장하기를 진심으로 응원합니다.

존 덩컨 미국 UCLA 동아시아학부 교수

존 덩컨(John B. Duncan) 교수는 한국학 분야의 세계적인 석학으로
미국 UCLA 한국학 연구소 소장 및 동 대학의 동아시아학부 교수를
겸직하고 있습니다. 하버드 대학교 교환 교수와 고려 대학교 해외
교육 프로그램 연구센터장을 역임했으며, 주요 저서로는
《조선 왕조의 기원》, 《조선 왕조의 시민 행정의 제도적 기초》 등이
있습니다.

세상을 더 나은 곳으로 만든
사람들의 이야기

어린이들은 자라면서 수많은 궁금증을 가지게 됩니다. 그중에서도
"저 사람은 누굴까?"라는 질문은 종종 아이들의 머릿속을 온통 지배해
버리기도 합니다. 다산어린이에서 출간된《who?》시리즈는 그런 궁금증을
해결해 주기 위해 지구촌 다양한 분야의 리더들을 소개하고 있습니다.

《who?》시리즈에 등장하는 인물들은 인종과 성별을 넘어 세상을 더
나은 곳으로 만든 사람들입니다. 어린이들은 이 책에서 디지털 아이콘으로
불리는 스티브 잡스는 물론 니콜라 테슬라와 같은 천재 발명가를 만날 수
있습니다.

책 속 주인공들의 어린 시절 이야기를 통해 기쁨과 슬픔, 도전과
성취감을 함께 맛보고, 그들과 함께 성장하면서 스스로 창조적이고 인류에
도움이 되는 사람이 되겠다는 포부와 자신감을 갖게 될 것입니다.

《who?》시리즈 속에서 다채롭고 생동감 넘치는 위인들의 이야기를 만나
보세요.

에드워드 슐츠 하와이 주립 대학교 언어학부 교수

에드워드 슐츠(Edward J. Shultz) 하와이 주립 대학교 언어학부
교수는 동 대학의 한국학센터 한국학 편집장을 역임한 세계적인
석학입니다. 평화봉사단 활동의 하나로 한국에서 영어 교사로 근무한
경험이 있으며, 현재 한국과 미국, 일본을 오가며 활발한 활동을
펼치고 있습니다. 저서로는《중세 한국의 학자와 군사령관》,
《김부식과 삼국사기》등이 있고, 한국 중세사와 정치에 대한 다수의
기고문을 출간했습니다.

미래 설계의 힘을 얻는 길이 여기에 있습니다

어린이가 성장하는 시기에는 스스로 미래를 설계하며 다양한 책을 접하는 경험이 필요합니다.

어린 시절 만난 한 권의 책이 인생에 미치는 영향이 얼마나 큰지는 꿈을 이룬 사람들의 말을 통해서 알 수 있습니다. 빌 게이츠는 오늘날 자신을 만든 것은 동네의 작은 도서관이었다고 말하고, 오프라 윈프리는 어린 시절 유일한 친구는 책이었음을 고백하며 독서의 중요성에 대해 이야기합니다.

꿈을 이룬 사람들의 공통점은 또 있습니다. 그들에게는 어린 시절, 마음속에 품은 롤 모델이 있었습니다. 여러분의 롤 모델은 누구인가요? 《who?》 시리즈에서는 현재 우리 어린이들이 가장 닮고 싶어하는 롤 모델을 만날 수 있습니다. 버락 오바마, 빌 게이츠, 조앤 롤링, 스티브 잡스 등 세상을 바꾼 사람들의 감동적인 이야기를 담은 《who?》 시리즈는 어린이들이 구체적인 목표를 설정하고 희망찬 비전을 세울 수 있도록 도와줄 친구이면서 안내자입니다. 《who?》 시리즈를 통하여 자신의 인생 모델을 찾고 미래 설계의 힘을 얻을 수 있습니다.

송인섭 숙명 여자 대학교 명예 교수 | 한국영재교육학회 회장

숙명 여자 대학교 명예 교수이자 한국영재교육학회 회장으로 자기주도학습 분야의 최고 권위자입니다. 한국교육심리연구회 회장, 한국교육평가학회장, 한국영재연구원 원장을 역임했습니다. 자기주도학습과 영재 교육의 이론을 실제 교육 현장에 적용하기 위해 노력하고 있습니다.

평생을 이끌어 줄
최고의 멘토를 만날 수 있는 책

　10대에 가장 중요한 것은 무엇일까요? 학과 공부와 입시일까요?
우리나라 최초의 국제회의 통역사로 30년 동안 활동하면서 글로벌
리더들을 만날 기회가 수없이 많았던 저는 대한민국의 초등학생들에게
특별한 조언을 해 주고 싶습니다. 그것은 큰 꿈을 가지는 것이 무엇보다
중요하다는 것입니다.

　꿈은 힘들고 지칠 때 나를 이끌어 주는 힘이고 내 인생의 주인이 되어
일어설 수 있게 하는 원동력이 되어 줍니다. 꿈이 있는 아이가 공부도
잘하고 결국 그 꿈을 실현할 수 있게 되는 것입니다. 저 역시 어린 시절
품었던 꿈이 지금의 자리에 있게 한 원동력이었습니다. 남들이 모르는 큰
꿈을 마음속에 간직하고 있었기에 괴롭고 힘들어도 포기하지 않고 다시
일어설 수 있었습니다.

　어린 시절 저에게도 힘들고 지칠 때마다 용기를 불어넣어 주고
힘이 되어 주었던 분들이 있었습니다. 지금의 자리로 저를 이끌어 준
멘토들처럼 《who?》 시리즈에서 여러분의 친구이자 형제, 선생이 되어 줄
멘토를 만날 수 있기를 바랍니다.

최정화 한국 외국어 대학교 교수 | 우리나라 최초 국제회의 통역사

우리나라 최초의 국제회의 통역사로 현재 한국 외국어 대학교
통번역대학원 교수입니다. 세계 무대에서 자신의 꿈을 이룬 여성
신화의 주인공으로, 역시 세계에서 꿈을 펼치려고 하는 청소년들에게
멘토의 역할을 충실히 하고 있습니다. 저서로는 《외국어, 내 아이도
잘할 수 있다》, 《외국어를 알면 세계가 좁다》, 《국제회의 통역사 되는
길》 등이 있습니다.

어린이의 꿈을 키워 주는
훌륭한 안내자를 소개합니다

자녀의 꿈이 무엇인지 알고 있어도 대한민국 학부모들에게 자녀의
꿈보다는 학교 성적이 우선인 것이 현실입니다. 멋진 꿈을 가지고 있어도
성적이 나쁘면 실현 가능성이 낮다고 생각하기 때문입니다.

하지만 정말 그럴까요? 하고 싶지 않은 공부를 의지만 가지고 하는
사람은 언젠가 한계를 느끼지만, 이루고 싶은 것을 위해 노력하는 사람의
마음속에는 열정이 생겨 더 열심히 노력하게 됩니다. 쉽고 재미있는
이야기를 통해 마음속으로 열정을 키울 수 있는 좋은 책이 나왔습니다.
이 책을 읽은 많은 어린이들이 큰 꿈을 품고 자신의 미래를 그리며 열정을
키우게 되었다고 말합니다.

의지를 주문하기보다 열정을 가질 수 있도록 다양한 기회를 제공하는
학부모들의 현명한 선택을 위해 이 책을 추천합니다. 하기 싫은 걸
억지로 공부하는 자녀가 아니라 정말 열정적으로 공부하는 자녀의 모습을
기대한다면 부모님의 잔소리를 대신하여 훌륭한 길잡이가 되어 줄
《who?》시리즈를 만나 보시기 바랍니다.

박재원 행복한 공부연구소 소장

한국형 두뇌 기반 학습을 연구 개발한 학습 전문가입니다. 행복한
공부연구소 소장으로 강연, 집필, 방송 출연 등 다양한 활동을
하고 있습니다. 저서로는 《공부가 즐거워지는 기적의 두뇌 학습법》,
《중학생이 되기 전에 꼭 잡아야 할 공부 습관》시리즈, 《가정이
대안이다》시리즈 등이 있으며 《핀란드 교실 혁명》의 번역 및 해설을
했습니다.

해외 석학들과 전문가들이
극찬을 아끼지 않은 책

다산어린이에서 출간된 《who?》 시리즈는 개인적으로도 무척 반가운
책입니다. 김대중 전 대통령을 청와대에서 가까이 모시면서, 반기문
유엔사무총장이 외교통상부 장관으로 재임하던 시절 국회의원으로서 함께
활동하면서 그분들의 훌륭한 점을 많이 봐 왔기 때문입니다.

전 세계 다양한 분야의 지도자들이 성공에 이르기까지의 과정을
학습만화로 그린 《who?》 시리즈의 인물들이 어떻게 시련과 역경을
극복했는가를 잘 보여 주는 이 책은 이 시대를 살고 있는 모든
어린이들에게 매우 유익합니다.

저는 'who?를 사랑하는 모임'의 대표로서 많은 해외 석학들과 국내
전문가들에게 이 책을 소개했고, 그때마다 놀라운 반응이 이어졌습니다.
하버드 대학의 에드워드 베이커 전 한국학 연구소장도, 미주 이민
110주년 기념 사업회의 책임자도, 세계 한인 회장단의 공동회장도,
국내의 도서관장들도 모두 《who?》 시리즈를 접하고 극찬을 아끼지
않았습니다. 어린이들의 원대한 꿈을 실현시켜 주는 힘을 지닌 《who?》
시리즈가 머지않은 미래에 한국은 물론 전 세계의 모든 가정에 영향력
있는 책으로 자리매김하리라 확신하며, 이 책을 추천합니다.

최성 전 경기 고양시장 / 'who?를 사랑하는 모임' 대표

최성 전 경기 고양시장은 청와대 외교안보비서관과 17대 국회 의원을
지냈습니다. 미국 존스홉킨스 대학 교환 교수 등을 역임하며 세계
3대 인명 사전 중 2곳에 게재된 바 있으며, 현재 'who?를 사랑하는
모임'의 대표로도 활동하고 있습니다.

2018 러시아 월드컵을 한 달여 앞둔 5월

잉글랜드 프리미어리그 토트넘에서 활약하며 세계적인 선수로 거듭난 손흥민은, 2018 러시아 월드컵에서 활약을 펼칠 50인 중 44위로, 아시아인으로는 유일하게 명단에 이름을 올렸습니다.

수비적인 한국이 토너먼트까지 갈 수 있다면 손흥민의 엄청난 스피드와 열린 공간을 찾는 기술, 그리고 발놀림 때문일 것입니다.

손흥민이 월드컵에서 가장 큰 이름 중 하나가 되더라도 놀라지 말아야 합니다!

잠잘 때도 월드컵 꿈을 꿨습니다. 4년 전에는 자신감과 패기가 넘쳤다면, 지금은 걱정이 앞섭니다. 월드컵이 얼마나 무서운 곳인지 알게 됐거든요.

또한 미국 언론이 선정한 2018 러시아 월드컵에서 주목해야 할 10명의 선수에 뽑혔습니다.

하지만 지난번 브라질 월드컵에서
흘린 눈물은 이제 상관없습니다.
축구 팬들이 웃음꽃을 피우도록
최선을 다하겠습니다.

한국 축구를 이끌, 그리고 전 세계가 주목하는 선수, 손흥민 선수를 소개합니다.

공지천의 축구보이

1996년, 춘천

여기로 패스!

자, 받아!

툭

가슴으로 공을 받다니! 대단해!

슛을 하려나 봐!

받아라!

골이다, 골!

우아!

오늘은 여기까지! 수고했다.

응? 누가 훈련을 더 하고 있나?

통

통

통

형, 이렇게? 이렇게 하는 거야?

통

통

응, 맞아. 잘하네!

녀석들……!

애들아,
아빠도 같이 놀자!

손흥민의 아버지 손웅정은 축구 선수
출신으로, 춘천에서 축구 코치로 활동하고
있었습니다. 그래서 손흥민은 어릴 때부터
자연스럽게 축구를 접할 수 있었습니다.

팡

저게 드리블인가?

오, 공을 모는 방법이 있나 보네.

이건 어떻게 하는 거였지? 왼쪽 발로 차는 거였나?

아빠, 드리블은 어떻게 하는 거예요?

드리블?

여기서는 왼쪽 발로 공을 차는 게 맞나요?

흥민아.

공을 차는 것에는 정답이 없어. 네가 하고 싶은 대로 공을 몰면 되는 거야.

제가 하고 싶은 대로요?

넌 아직 어려. 지금은 축구의 기술을 익히는 것보다 재미있게 하는 게 더 중요하단다.

알겠어요, 아빠!

손흥민은 틀에 갇힌 교육을 받지 않고, 자유롭게 공을 차며 축구에 대한 즐거움을 스스로 깨달았습니다.

손흥민은 학교 수업이 끝나면 아버지가 총감독으로 있는 축구 교실에서 훈련을 했습니다.

줄을 맞추어 달리는 것은 의미가 없다.
줄 맞추는 데 쓸 신경까지 모두
공에 집중해라!

툭

아차! 공을 놓쳤다!

잠깐! 그 공은
내버려 둬라.

네?

선수는 훈련에만
집중한다.

손흥민의 아버지는 선수가 중심이 되도록
가르쳤습니다. 그래서 공이 다른 곳으로 가도
선수가 아닌 코치가 공을 주워 오는 등
규율보다는 선수 개개인의 창의력을 키울 수
있는 훈련 방식을 택했습니다.

앞에 수비수가 있다고 생각하고
피하면서 공을 몰자.

슛이다!

팡

손흥민의 인물 돋보기

프리미어리그 토트넘 홋스퍼 FC에서 뛰고 있는 손흥민

손흥민(1992년~)은 대한민국의 축구 선수로, 강원도 춘천에서 태어났습니다. 프로 축구 선수 출신인 아버지에게 개인 지도를 받으며 축구를 익혔고, 동북 고등학교에 재학 중이던 2008년에 대한 축구 협회가 선정하는 우수 선수로 뽑혀 독일로 유학을 떠났지요. 열여덟 살의 어린 나이로 독일 분데스리가 데뷔전을 성공적으로 치른 손흥민은 이후에도 경기마다 맹활약을 펼치며 단숨에 주전 선수로 자리매김하였고, 2015년 8월에는 드디어 꿈에 그리던 잉글랜드 프리미어리그에 진출했습니다. 폭발적인 스피드와 공간 침투력이 강점인 손흥민은 윙어와 스트라이커 두 포지션을 모두 소화해 팀의 승리에 견인차 역할을 톡톡히 하였으며, 2021-22 시즌에는 아시아 선수로는 최초로 잉글랜드 프리미어리그 득점왕을 차지합니다. 또한 2010년 처음으로 대한민국 축구 대표 팀에 발탁된 손흥민은 주요 대회마다 뛰어난 경기력을 보여 주었으며, 2018 자카르타-팔렘방 아시안 게임에서는 주장으로서 팀을 이끌어

who? 지식사전

손흥민의 활약상

손흥민은 분데스리가 사상 최연소 득점 기록을 세웠습니다. 열여덟 살의 어린 나이로 분데스리가 데뷔전을 치르는 것만으로도 긴장이 되었을 텐데, 그는 데뷔전에서 전반 24분 만에 화려한 데뷔 골을 터뜨리기까지 했지요. 이때부터 손흥민은 유럽 무대에서 각광을 받기 시작했으며, 국내에서는 국가 대표 팀의 막내로 들어가 활약했습니다. 평소 존경하던 축구 선수인 박지성과 함께 국가 대표 팀이 되어 경기를 뛴다는 것만으로도 가슴 벅차다고 말했던 손흥민은 어느새 유럽 리그에서 박지성이 세운 시즌 최다 득점 기록을 넘어섰어요. 동시에 한국 축구의 전설로 불리는 차범근의 분데스리가 득점 기록을 31년 만에 경신했습니다. 단숨에 유럽 리그의 스타로 떠오른 손흥민은 2013년 영국 언론이 선정하는 아시아 최고 선수상을 수상한 데에 이어, 매년 꾸준한 득점 기록을 세우면서 정상급 기량을 유지하고 있습니다. 또한 2014년, 2015년도에 이어 2018년까지 중국 스포츠 전문 매체인 〈티탄저우바오〉가 선정하는 아시아 베스트 풋볼러에 이름을 올리며 최초로 3관왕에 오른 선수가 되었지요. 2021-22 시즌에는 리버풀 FC의 모하메드 살라와 함께 프리미어리그 공동 득점왕에 오르며 최고의 활약을 보여 주고 있답니다.

금메달을 따 대회 2연패를 달성했지요.
그럼 지금부터 한국 축구의 새로운 전설이 된 손흥민에게
어떤 노력이 숨겨져 있는지 알아볼까요?

상대편을 따돌리며 빠르게 드리블하는 손흥민

하나 ▸ 축구를 즐기는 마음

손흥민은 여러 매체와의 인터뷰에서 늘 '즐기는 축구를 하고
싶다'라고 말했습니다. 어린 시절, 축구 교실이나 지역의
유소년 축구 클럽처럼 특정 교육 기관이 아닌 아버지에게
축구를 배운 손흥민에게 축구는 일종의 놀이이며, 축구공만
있다면 어디든 놀이터가 되었지요. 손흥민이 '즐기는 축구'를
하게 된 데에는 어린 시절 손흥민을 직접 지도한 아버지의
특별한 교육법이 있었기 때문입니다.
아버지는 어린 손흥민이 양발로 공을 자유자재로 다룰 수 있을
때까지 기본기 훈련만 반복하고, 다른 아이들과 시합도 할 수
없게 했지요. 그는 어린 마음에 친구들이 시합을 뛰는 것을
마냥 부러워했지만, 사실 아버지에게는 깊은 뜻이 있었답니다.
마치 시험을 치르듯이 기술을 익혀야 하는 기존 학원 시스템을

요즘 유소년 축구
클럽에서도 축구는
즐거운 것이라는 걸 먼저
느끼게 해 주지요.

손흥민 수상 내역

해당 연도	수상 내역	해당 연도	수상 내역
2010	분데스리가 전반기 최우수 신인상	2015	대한민국 퍼스트 브랜드 대상 특별상
2012	피스컵 베스트 네티즌상	2017	아시아 축구 연맹(AFC) 올해의 국제 선수상
2013	ESPN 선정 올해 최고의 아시아 축구 선수	2018	아시아 베스트 풋볼러
2013	대한 축구 협회 올해의 선수상	2019	런던 풋볼 어워즈 발롱도르 22위
2014	대한 축구 협회 올해의 선수상	2020	국제 축구 연맹(FIFA) 푸스카스상
2014	아시아 베스트 풋볼러	2021	대한 축구 협회 올해의 선수상
2015	아시아 베스트 풋볼러	2022	2021-22 프리미어리그 공동 득점왕

따라간다면 축구는 즐거운 것이 아니라 괴로운 것이 될 것이라는 생각에서였어요. 또한 시합을 하게 되면 승패나 성적에 연연하게 되므로 자유롭게 축구를 즐기기는 힘들다고 판단했지요. 그래서 매일 하루도 빠지지 않고 운동장에 나가 작은 축구공을 몸에 착 붙여 자유자재로 다루는 훈련을 했어요. 세계 언론들은 손흥민의 트레이드 마크로 환한 미소를 꼽는데, 이것만 보아도 그가 얼마나 축구를 좋아하는지 알 수 있어요.

중국 언론에서는 '손흥민만의 한 마리 용과 같은 초스피드 방향 전환과 가속'이라는 제목으로 손흥민에 대한 기사를 썼어요.

둘 탄탄한 개인기

어릴 때부터 축구를 배우기 시작한 손흥민이 처음으로 시합에 나가게 된 것은 중학교 3학년 때였어요. 축구를 시작한 지 9년 만이었지요. 그 전까지는 오로지 아버지, 형과 기본기 훈련을 반복했어요. 기본 중의 기본이라고 할 수 있는 볼 트래핑, 헤딩, 드리블 등을 완전히 익히기 전에는 다음 훈련으로 넘어갈 수 없었지요. 아버지는 방향과 거리를 바꿔 가며 쉴 새 없이 공을 던졌고, 손흥민은 자신 앞으로 날아드는 공을 완벽히 받아 낼 수 있을 만큼의 실력을 갖춘 다음에야 슈팅 연습을 할 수 있었답니다. 이렇게 기본기만 반복하는 훈련이 지루할 법도 하지만 손흥민은 묵묵히 훈련에 임했고, 결국 모든 동작들은 손흥민의 몸에 차곡차곡 새겨져 경기에서 빛을 발하게 되었답니다. 경기에서 그가 보여 준 모든 슈팅, 드리블 동작들은 바로 과거에 지겹도록 반복했던 기본 훈련의 결과물이었지요. 보통의 축구 선수들은 왼발과 오른발 중에 한 쪽만을 주로 사용하는데, 손흥민은 페널티 지역 근처 어디서라도 오른발, 왼발을 가리지 않고 슈팅을 할 수가 있어요. 이것은 손흥민이 유럽 무대에서도 주목받을 수 있었던 가장 큰 재능으로, 매 시즌 두 자릿수 득점 기록을 세우는 비결이기도 합니다.

토트넘 홋스퍼 FC 엠블럼

셋 ◀ 활발하고 긍정적인 성격

손흥민은 열일곱 살이라는 어린 나이에 독일로 유학을
떠났어요. 당시 손흥민을 지도하던 감독은 "어린 선수가 힘들
법도 한데, 전혀 티를 내지 않고 잘 적응하는 것이 놀랍다."고
말했어요. 그리고 손흥민이 소속되어 있는 팀 동료들은
그를 팀의 '긍정 에너지'라고 말합니다. 그라운드 안에서나
밖에서도 항상 웃음을 잃지 않고, 팀의 분위기가 가라앉을
때면 먼저 나서서 가벼운 장난을 치거나, 춤을 추면서 분위기를
화기애애하게 만들기 때문이에요. 또한 끈기가 대단해서 안 되면
될 때까지 노력하는 모습을 높이 평가했습니다. 쉽게 포기하지
않고, 노력하다 보면 언젠가는 이뤄질 것이라는 긍정적인
마음이 손흥민을 더욱 성장하게 만든 것이지요. 축구 선수들은
경기 승패에 따라 관중과 언론의 따가운 질타를 받기도 하는데,
손흥민은 그런 관중과 언론의 비난에 쉽게 흔들리지 않는
모습을 보여 줍니다. 그리고 자신의 실수와 관중의 질타를
이겨 내고, 오히려 다음 경기에서 더 좋은 모습을 보여 주는 데
집중하지요.

토트넘에서 뛰는 손흥민의 백넘버

who? 지식사전

손흥민의 별명

갈색 폭격기 차범근, 두 개의 심장 박지성. 이처럼 유명한 축구 스타들에게는 다양한 별명이 따르는데, 손흥민 역시 '소니',
'손날두', '양봉업자' 등 다양한 별명으로 불리고 있어요. '소니'라는 별명은 토트넘 홋스퍼 FC의 팬들이 직접 붙인 것으로
그의 영문 성인 'Son'의 철자에서 따온 것이지요. 손흥민이 폭발적인 드리블과 함께 골대 앞으로 달려갈 때면 관중들은 큰
소리로 "소니! 소니! 소니!"를 외치며 응원한답니다. 한국의 팬들은 그를 '손날두'라고 부르기도 하는데, 손흥민의 뛰어난
공격력이 유럽의 축구 스타 '크리스티아누 호날두'와 닮았다고 해서 붙여진 별명이에요.
손흥민의 별명 중 가장 재치 있는 별명인 '양봉업자'에는 재밌는 스토리가 숨어 있답니다. 분데스리가 소속 클럽인 보루시아
도르트문트는 클럽의 고유색인 노랑과 검정으로 이루어진 유니폼을 입어요. 이 유니폼이 꿀벌을 연상케 하는 색이라 그들을
'꿀벌 군단'으로 부르는데, 손흥민이 도르트문트를 상대로 유독 강한 면모를 보이자 국내 축구 팬들이 꿀벌과 관련 있는
'양봉업자'라는 별명을 붙여 준 것이에요. 이 밖에도 '웸블리 왕자', '손세이셔널', '손탁기' 등 여러 별명이 있어요. 이렇게
손흥민의 다양한 별명은 그가 얼마나 많은 축구 팬들의 사랑과 관심을 받고 있는지를 증명해 주고 있습니다.

2 장래 희망은 국가 대표!

2002년, 우리나라에서 '한일 월드컵'이 열렸습니다.

와
와

오늘 경기만 이기면 16강 확정이야!

하지만 상대 팀은 포르투갈이잖아. 피구 같은 대단한 선수가 있는 막강한 팀이라고.

아니야! 그래도 이길 수 있어!

앗, 오른쪽이 비었다!

어휴, 그 사이로
골을 넣다니!

한 골만 더 넣자!

공 빼앗으러
내가 왔지~

어림없다!

그건
두고 보면 알지!

툭

성공이다!

자, 공 받아!

퉁

받아라! 숫!

뻥

팍

경기 끝!

우리가 이겼지롱!

휴, 아슬아슬했어.

아깝다!

괜찮아! 재미있게 놀았잖아.

흥민은 어릴 때부터 승부에 집착하기 보다는, 축구는 즐거운 것이라는 생각을 가졌습니다.

2004년, 유럽 축구 연맹에서 4년마다 개최하는 선수권 대회인 유로 2004가 열렸습니다.

유로 2004 결승이야. 제발, 호날두가 있는 포르투갈이 이겨야 해!

결승에는 그리스 팀과 포르투갈 팀이 올랐습니다.

호날두다!

와

와

손흥민은 포르투갈 팀의 크리스티아누 호날두를 좋아했습니다.

호날두! 파이팅!

제발……!

막아야 해! 안 돼!

하지만 후반전 12분, 그리스의 앙겔로스 하리스테아스 선수의 헤딩슛이 포르투갈의 골대에 들어갔습니다.

골! 그리스의 골입니다! 이로써 1:0으로, 그리스가 앞서 갑니다!

아악! 안 돼! 안 된다고!

......졌어.
포르투갈이 졌어.

앞으로 내 롤 모델은 호날두야.
축구에 대한 열정을 배워 가야지!

호날두가 울다니......
승부욕이 강한 선수라
더 아쉬움이 남나 봐.

흥민아! 너 옷이 그게 뭐야?

옷? 우리나라 축구 국가 대표 팀 옷이잖아.

응! 난 축구가 제일 좋으니 국가 대표 유니폼이 제일 멋있는 옷이야!

하

역시 흥민이답다. 못 말려, 정말!

하

오늘 졸업 사진 찍는 날인데, 그 옷 입고 찍을 거야?

손흥민은 초등학교 졸업 앨범에 들어갈 사진을 찍는 날에도 대한민국 축구 국가 대표 유니폼을 입을 만큼 축구 사랑이 대단했습니다.

자, 오늘은 여기까지만 하고 집에 가자.

조금만 더 하면 안 돼요?

흥민아, 축구가 그렇게 재미있니?

물론이지요! 축구만큼 재미있는 것도 없어요.

그럼 내년에 중학교에 가면 축구부에 들어갈 거니?

네! 전 축구 선수가 될 거니까 당연히 축구부에 들어갈 거예요.

축구는 물론이고, 운동선수는 생각보다 쉽지 않단다. 좋아하는 마음만으로 할 수 있는 게 아니야.

좋아하는 마음을 넘어서,
축구 선수는 제 꿈이에요.
그 꿈을 이루기 위해 엄청
노력해야 한다는 것도
알고요.

흠, 그래.
그렇다면 앞으로
개인 훈련을 하자꾸나.
내가 함께하겠다.

정말요?

하지만 네가 생각한 것보다
더 많은 노력과 인내가 필요하다.
각오는 돼 있지?

네, 아버지!
정말 열심히 할 거예요.

축구 선수가 되기로 마음을 먹은 흥민은 아버지와 개인 훈련을 하며 축구 실력을 쌓아 갔습니다.

유소년 축구

어린이들이 국가의 미래를 결정짓는 것과 같이, 축구도 다르지
않습니다. 유아, 청소년 선수들을 발굴하고 지도하는 것은
축구의 발전이 걸린 일이기에 우리나라는 물론 세계 여러
나라서 유소년 축구에 투자를 아끼지 않는답니다. 우리나라도
대한 축구 협회에서 제2의 손흥민을 꿈꾸는 어린이들에게
희망의 길을 열어 주기 위해 노력하고 있지요.
유소년 축구는 보통 초등학교 저학년 때부터 전문적인 지도가
이루어지며, 다양한 국내·국제 대회에 참가하며 경기 경험을
쌓게 됩니다. 국제 축구 연맹(FIFA)은 2년마다 만 20세 이하
선수들을 대상으로 한 U-20 월드컵과 17세 이하 선수들이
주인공인 U-17 월드컵을 개최하는데, 이때가 바로 전 세계
축구 꿈나무들에게는 축제의 날인 셈이지요.

2017 화랑대기 전국 유소년 축구 대회
U-12 예선 모습

하나 한국 유소년 축구 연맹

한국 유소년 축구 연맹은 대한 축구 협회의 관리, 감독 아래
1996년에 처음으로 설립된 기관입니다. 한국 유소년 축구
연맹의 주된 임무는 유소년 선수들을 발굴하고, 해외 명문
팀과의 교류를 통해 다양한 국제 대회에 참가할 수 있는
기회를 마련하는 것이었습니다. 이런 기회를 통해 뛰어난
기량이 해외에 알려진 선수들은 더 큰 무대에 나아가 선진
축구를 배울 수 있도록 축구 유학을 떠나기도 했습니다.
많은 축구 스타들도 유소년 축구의 발전을 위해 힘을 보태고
있는데, 세계적인 축구 선수인 박지성은 유럽 명문 구단의
제안까지 거절하고 한국으로 돌아와 유소년 선수들을
지원하는 사업을 펼치고 있답니다. 하지만 한국 유소년 축구
연맹은 회장의 보조금 횡령 등의 문제로 더 이상 운영을 할

수 없게 되었고, 결국 2020년 법원의 파산 선고를 받고 역사
속으로 사라지게 됩니다. 이후 대한 축구 협회에서 한국
유소년 축구 연맹에서 하던 업무를 이어 가게 되었습니다.

2017 FIFA U-20 월드컵에서
활약한 이승우는 2018 러시아
월드컵의 대한민국 대표 팀에
합류했습니다.

둘 초·중·고 리그

초·중·고 리그는 남자 초·중·고교 선수들이 참가하는 연중
리그 대회입니다. 대한 축구 협회는 '주중에는 공부하고
주말에 경기하는' 선진국형 유소년 축구 문화를 만들기 위해
정부와 함께 초·중·고 리그 도입을 결정했습니다.
2009년 출범한 초·중·고 리그는 첫해에 총 576팀이
참가했고, 이후로도 리그에 참가하는 팀 수가 계속 늘어나고
있습니다. 경기는 주말과 공휴일, 평일 방과 후에 열리고
있으며, 3월부터 10월까지 권역별 리그가 시도협회의
주관하에 진행됩니다. 11월경에 권역 리그 우수 성적 팀들이
참가하는 왕중왕전은 대한 축구 협회가 직접 담당하고
있습니다. 대회 출범 이후 초·중·고교 선수들의 경기 경험이
확대되고, 개인 기량 향상, 비용 절감 효과 등을 거둘 수
있었습니다.

2010 FIFA 여자 U-17에서 우승한 대한민국 대표 팀

I 리그

축구를 좋아하는 어린이와 청소년들을 위한 대회로는
I 리그가 있습니다. 2013년 처음 출범한 I 리그는 대한
축구 협회가 주관하며, 참가 대상은 대한 축구 협회에 정식
선수로 등록하지 않은 초·중·고교 학생입니다. 이는 엘리트
중심으로 진행되어 온 기존의 대회 형식에서 벗어나 축구를
즐기고 이를 통해 건강한 몸과 마음을 가진 어린이, 청소년을
키우기 위함입니다. 대회는 지역별 리그 방식으로 치르며
봄부터 가을까지 진행됩니다. 여름 방학 중에는 선수들과
가족들이 모여서 함께 즐기는 여름 축제가 열립니다.

손흥민 국제 유소년 친선 축구 대회

2022년 6월, 강원도 춘천 손흥민 체육 공원에서 손흥민 국제 유소년 친선 축구 대회가 처음으로 열렸습니다. 춘천은 손흥민이 태어나고 자란 곳이기도 합니다.

한국, 콜롬비아, 몽골, 베트남, 싱가포르, 인도네시아 등 6개 국가에서 만 12살 이하 유소년 선수단이 참가했습니다. 대회 중 축구 리그전과 풋살 경기가 진행되며, 친선에 의미를 두고 있기 때문에 별도의 순위를 정하지 않는 것이 특징입니다. 선수와 가족, 관객 등이 즐기는 대회를 만들고자 한 것이지요. 특히 대회가 열리는 손흥민 체육 공원은 손흥민과 가족 등이 축구 꿈나무 육성을 위해 용지 매입부터 공사까지 직접 비용을 들여 만들었습니다. 그만큼 손흥민의 축구에 대한 사랑과 열정이 크다는 것을 알 수 있습니다.

박지성 축구 센터에서 유소년 선수들을 훈련하는 박지성

who? 지식사전

손흥민의 아버지 손웅정

함부르크에서 뛰던 손흥민과 함께 훈련 중인 손웅정 감독

'아시아의 호날두'라 불리는 손흥민이 현재의 위치까지 올라올 수 있던 것은 다름 아닌 아버지의 헌신적인 뒷바라지가 있었기 때문이에요. 손흥민의 아버지 손웅정 역시 축구 선수 출신으로, 국내 리그에서 활약하다 안타깝게도 부상을 입어 선수 생활을 그만둬야 했지요. 어려운 가정 형편 속에서도 축구에 대한 꿈을 키웠던 손웅정은 축구 선수라는 꿈을 꾸는 어린이들에게 기회를 열어 주자는 마음으로 지도자의 길을 걷기 시작했습니다. 손웅정의 교육 철학은 '기본에 충실하자'예요. 축구 선수가 되려면 공의 비밀을 알아야 한다고 말해 왔는데, 그 말은 곧 공을 잘 다루어야 한다는 뜻이지요. 그래서 기본기를 익히지 못하면 슈팅 등 다음 단계의 훈련을 받지 못했어요. 손흥민이 양발을 자유자재로 사용할 수 있는 것도 아버지 손웅정의 이런 기본기 훈련 덕분이에요. 왼쪽과 오른쪽 발을 사용한 슈팅 연습을 각각 수백 번씩 되풀이한 끝에, 손흥민은 좌우측면 어디에서라도 자신 있게 슈팅을 하게 되었지요. 또 아들의 고된 훈련을 옆에서 지켜보기보다는 자신도 함께 땀을 흘리며 모든 훈련 과정을 함께 했어요. 손흥민이 세계 무대에서 주목받는 축구 선수로 성장할 수 있던 데에는 이렇게 아버지 손웅정의 특별한 교육법이 있었기 때문이랍니다.

FIFA는 축구의 활성화를 위한 계획의 하나로 세계 청소년들을 주인공으로 한 U–17과 U–20 대회를 추진합니다. 두 대회는 FIFA 월드컵, 대륙별 챔피언들이 참가하는 컨페더레이션스컵과 함께 세계 4대 축구 축제로 꼽히고 있지요. 먼저 U–20은 1977년 튀니지에서 처음 개최된 이후 2년마다 열려요. 한국 축구 대표 팀은 2019년 대회에서 준우승을 차지했습니다. U–17은 1985년 중국에서 첫 대회가 열렸으며, 대회 초기에는 16세 이하의 유소년들이 참가했지만 1991년 이탈리아 대회부터 17세 이하로 변경되었습니다. 여자 축구에도 U–20과 U–17이 있어요. 비교적 역사가 짧은 한국 여자 축구지만, 2010 독일 U–20에서는 3위, 2010 트리니다드토바고 U–17에서 우승을 차지해 온 국민을 놀라게 했지요.

2018 아시아 축구 연맹 U–19에서 활약한 이강인 선수

야구엔 시구, 축구엔 시축

프로 야구 시즌이 열릴 때면, 종종 연예인이나 유명 인사의 시구 장면이 화제가 되기도 합니다. 경기의 시작을 알리는 상징적인 시구는 프로 야구에서 팬들을 위한 특별한 이벤트로 자리 잡았지요. 프로 축구도 다르지 않아요. 시즌의 시작을 알리는 개막전이나 주요 경기가 열릴 때면, 시구 이벤트와 같은 시축 이벤트가 열리곤 합니다. 시구와 시축은 모두 한자로 이뤄진 말인데, 시구는 '처음 시(始) + 공 구(球)'가 합쳐진 것이고, 시축은 '처음 시(始) + 찰 축(蹴)'이 합쳐진 용어예요. 축구는 공을 발로 차는 행위에서 비롯된 스포츠이기 때문에 발로 찬다는 의미를 지닌 한자 '축'을 쓰는 것이지요.

국내 프로 축구의 최고령 시축자는 1999년 프로 축구 올스타전의 시축을 맡았던 김화집 옹으로, 당시 92세의 나이에도 불구하고 그라운드에 올라 뜻깊은 시축 이벤트를 보여 주었답니다. 김화집 옹은 한국 최초로 FIFA의 국제 심판 자격을 획득했으며, 광복 직후 국가 대표 팀의 코치를 맡아 한국 축구의 발전을 이끈 인물이기도 하지요. 한편 전 축구 선수 이동국의 아들인 이시안은 2015년 12월 최연소 볼 전달자로 나서 화제가 되기도 했는데, 갓 돌을 넘겼을 때라 공을 차지 못하고 손으로 전달만 했지만 귀여운 모습에 팬들의 큰 환호를 받았습니다.

볼 전달자로 활약했던 이동국의 아들 이시안 군이 2년 후 직접 시축자로 나선 모습

3 끊임없는 연습

손흥민은 춘천의 후평 중학교에 진학했다가 중학교 2학년 때 원주의 육민관 중학교로 전학을 갔습니다.

자, 오늘 훈련은 여기까지다. 내일 보자!

수고하셨습니다!

손흥민은 중학교에 진학한 뒤 축구부에서 활동했습니다.

응? 운동장에
누가 있는 거지?

흥민이잖아?

흥민아! 아직
집에 안 갔니?

아, 선생님!

조금 더 연습하고
가려고요!

지난주에도 혼자 연습하고 있는 걸 봤는데, 혹시 매일 개인 훈련을 하는 거냐?

네.

녀석, 어지간히 축구가 좋은 모양이구나.

하지만 너무 무리하지 마라. 그러다 다쳐.

네! 명심하겠습니다!

그럼 내일 보자꾸나.

안녕히 가세요!

휴, 다시 시작해 볼까?

파

앗

골대 왼쪽에서 슛을 한다면 왼쪽 발로……!

슈웅

뻥

팅!

윽! 또 노골이다.

공을 다루는 건 어느 정도 익숙해졌는데, 골이 생각보다 안 들어가네.

아버지께 가르쳐 달라고 해야겠다!

아버지, 이 정도면 공이랑 친해진 거 같지요?

그런 거 같구나.

하지만 축구는 골이 들어가야 승부가 나는 거잖아요.

골?

네! 축구에서 승부를 가르는 결정적인 것은 골이니까요.

공을 내 마음대로 다룰 수 없으면 축구를 할 수도 없는 거야.

내가 네게 지금까지 슈팅을 가르치지 않았던 것은, 네 기본기를 잘 잡아 주고 싶어서였다.

그리고 너무 어릴 때부터 슈팅 연습을 하면 무릎에 무리가 가서 부상을 입을 수 있기 때문이지.

그럼 아직 슈팅을 배울 때가 안 된 건가요?

아직 넌 중학생이다. 축구 선수 생활을 이제 막 시작한 거고, 경기를 *풀타임으로 뛰어 본 적도 없지.

아쉬워하지 마라. 좀 있으면 질리도록 해야 할 거니까.

네!

손흥민이 아직 어리다고 생각된 아버지는 슈팅보다는 기본기를 다지는 데 집중시켰습니다.

* **풀타임(full-time)** 전반전과 후반전 모두를 이르는 말

야, 흥민아. 오늘은 축구부 연습 없어?

있지. 수업 마치고 갈 거야.

다른 축구부 애들은 오후 수업은 빠지고 연습 가던데, 넌 수업 다 듣고 가네?

응. 학생이 수업에 빠지면 안 되지!

자, 오늘 수업은 끝! 수고했다.

감사합니다!

손흥민은 축구부 활동을 하면서도 학교 수업에 절대 빠지는 일이 없었습니다.

내일부터 일주일 동안 휴가다. 푹 쉬고 와서 다시 열심히 연습하자!

오예! 내일부터 늦잠도 자고 게임도 실컷 해야지!

나도 같이하자!

손흥민은 공식 휴가 기간에도 자발적으로
운동을 할 정도로 축구에 열정이 있었습니다.

이런, 잔디가 다 얼어 버렸구나.

그럼 오늘은 훈련 못 하겠네요? 날도 너무 춥고…….

못 하긴! 따라와라.

슥

슥

탁 탁

왼쪽 발의 바깥쪽으로 살짝 차서 수비에서 벗어난 다음, 골대를 향해……

앗, 빼앗겼다!

넌 왼쪽 발로 공을 받으면 꼭 바깥으로 나갈 생각만 하더구나.

휴, 다시 한번 더 해요. 이번에는 빼앗기지 않을 거예요.

왼쪽 발 안쪽을 사용해라! 무조건 빈 공간만 찾지 말고, 네가 공간을 만들어 가란 말이다!

자, 50개만 더 하면 5백 개다. 조금만 더 힘내라!

하

하

하

난 그늘에 있지만 아버지는 땡볕에…… 고생하시는 아버지를 위해서라도 내가 힘을 더 내야 해.

손흥민은 한겨울에는 언 땅 위에서, 한여름에는 땡볕 아래서 훈련을 계속했습니다. 그리고 그 곁에는 아버지가 항상 함께 있었습니다.

다다다다ー

앗, 저쪽이 비었다!

받아! 골 찬스야!

슈웅

들어가라!

팡

골이다, 골!

나이스 어시스트! 패스가 아주 좋았어!

육민관 중학교 팀의 승리입니다!

손흥민은 탄탄한 기본기를 바탕으로 축구 실력을 쌓았고, 그 실력은 점차 두각을 드러내기 시작했습니다.

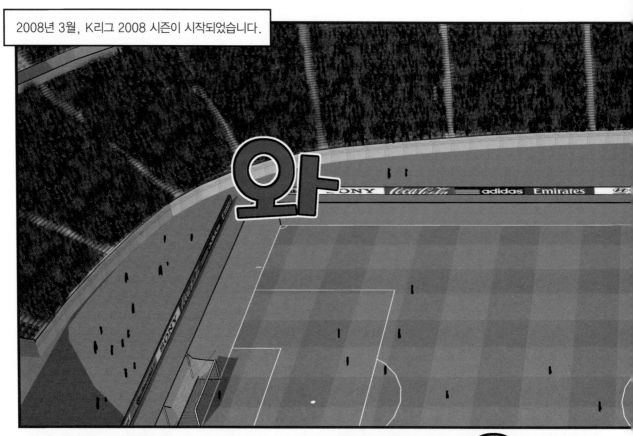

2008년 3월, K리그 2008 시즌이 시작되었습니다.

우아, 이청용 선수다!

* **볼보이(ball-boy)** 구기 종목에서 라인 밖으로 나간 공을 주워 오는 사람으로,
남자는 볼보이, 여자는 볼걸로 불리는 경우가 많음

당시 손흥민은 동북 고등학교에 진학했습니다. 동북 고등학교는 FC 서울의 유소년 팀으로, FC 서울의 홈구장인 서울 월드컵 경기장에서 경기가 열리면 동북 고등학교 축구 부원이 *볼보이를 했습니다.

와

K리그 2008! 홈 팀 FC 서울과 원정 팀 수원 삼성 블루윙즈의 경기를 시작하겠습니다!

나랑 네 살 밖에 차이 나지 않는데 벌써 프로 축구 선수라니…… 게다가 현재 최고의 유망주!

이청용 선수는 FC 서울의 선수로, 프로 축구를 하기 위해 2003년 중학교를 중퇴하고 2004년 FC 서울에 입단하였습니다.

오늘 경기를 한 장면도 놓치지 않겠어!

끊임없는 연습 **69**

챔피언 결정전은 1, 2차로 나누어 진행되었는데 두 경기에 5만 명 가까운 관중이 몰릴 만큼 그 열기가 대단했습니다.

와

와

이청용 선수, 수원의 골대를 향해 돌진합니다!

특히 이청용 선수는 2004년 프로 데뷔 후 2006년부터 본격적인 프로 무대에서 활약한 선수였습니다.

와

작년 시즌에는 다섯 개의 골과 여섯 번의 도움으로 도움왕 상을 받았지.

내가 지금 프로 무대에서 뛰면 이청용 선수처럼 잘할 수 있을까?

게다가 태극기를 달고 뛰는
국가 대표에 나서면
또 다른 기분이겠지?

지금까지 내가 했던 축구와 프로 무대는 정말 다르다.
선수들 한 명 한 명의 기량이 한데 모여
진정한 팀을 이루는구나!

보기만 해도 가슴이 이렇게 뛰다니,
나도 저 무대에서 직접 뛴다면
어떤 기분일까!

손흥민은 프로 무대에서 뛰고 있는 선수들을 보며,
프로 선수의 꿈을 키워 갔습니다.

대한 축구 협회에서 우수 학생을 뽑아 해외 유학의 기회를 주는 거 알고 계시지요? 이번에 흥민이가 우수 선수로 뽑혔습니다.

정말이요?

네, 흥민이를 포함해 세 명의 학생이 독일로 가게 되었습니다.

독일의 어느 팀으로 가나요?

함부르크 SV 청소년 팀에서 배우게 됩니다.

흥민아, 좋은 기회라 생각되는데 너는 어떠냐?

가겠어요! 가서 배우고 올게요!

말과 문화도 우리와 달라 처음에는 힘들 수도 있다.

중간에 포기할 거면 가겠다고 하지도 마라.

제 꿈을 위해서라도 포기 안 해요.

열심히 배워서 프로 무대에 서는 거야!

손흥민은 독일로 유학을 가기로 결정한 뒤, 출국 전까지 연습, 또 연습을 했습니다.

한국의 축구, K리그

라리가에 속한 대표 구단인 레알 마드리드와 바르셀로나 ⓒ Muhaidib

잉글랜드의 '프리미어리그', 독일의 '분데스리가', 에스파냐(스페인)의 '라리가'는 세계 축구 팬들의 이목을 사로잡는 대표적인 프로 축구 리그입니다. 축구 선수들에게는 꿈의 리그로 불리기도 하지요.

우리나라에도 30년이 넘는 역사를 지닌 프로 축구 리그가 있는데, 바로 K리그예요. 1983년 대한 축구 협회에서 프로 축구 리그를 만들기로 결정하면서 '슈퍼리그'라는 이름으로 처음 선보인 프로 축구 대회는 개막 첫 해 2개의 프로 팀과 3개의 실업 팀까지 총 5개의 팀이 승부를 겨뤘어요. 그리고 2010년에 'K리그'라고 명칭이 변경되었고, 해를 거듭할수록 많은 축구팀이 창단되어 현재는 1부 리그에 12개 팀, 2부 리그에는 11개 팀이 있답니다. 그럼 한국 축구의 발전과 같은 길을 걸어온 K리그에 대해 자세히 알아볼까요?

하나 　한국 최초의 구단

할렐루야 축구단은 1999년 재창단된 후, 2012년에 '고양 자이크로 FC'로 이름을 바꾸어 프로 팀으로 전환했어.

대한 축구 협회에 기록된 한국 최초의 프로 축구 구단은 '할렐루야 축구단'입니다. 당시 대한 축구 협회 회장이었던 최순영에 의해 창단되어 1980년 12월 20일에 창단식을 가졌으며, 동시에 대한민국 제1호 프로 축구단으로 공식 등록되었지요. 그전에 이미 포항제철, 대우와 같은 축구팀이 있기는 했지만 이들 구단은 기업에서 운영하는 실업 구단이었고, 이후 프로 축구의 개막과 함께 이들도 얼마 지나지 않아 프로 팀으로 전환되었어요. 독수리 문양을 팀의 마스코트로 삼은 할렐루야 축구단은 1983년 처음으로 시작된 프로 리그에 참가한 5개의 구단 중 우승을 차지했고, 창단 18년 만인 1998년에 해체하며 화려한 역사를 마감했습니다.

둘 ⟩ K리그 경기 방식과 구단 소개

매년 2~3월에 개막식이 치러지는 K리그는 봄에 시즌이 시작되어 가을까지 경기를 치르는 춘추제로 운영되며, 1부 리그와 2부 리그로 나뉘어요. 시즌 결과 1부 리그에서 낮은 성적을 기록한 구단은 2부 리그로 강등될 수 있고, 반대로 2부 리그에서 좋은 성적을 거둔 팀은 1부 리그로 승격될 수 있지요. K리그 1부 리그에 소속된 구단은 2022년 기준 12개 팀으로, 이들은 '홈 앤드 어웨이' 방식으로 팀당 38경기를 치러 최종 우승팀을 결정하게 됩니다. K리그에서 '홈 앤드 어웨이' 방식에 따라 경기를 운영하게 된 것은 1996년 프로 축구 연맹에서 각 구단에게 특정 지역을 배정해 지역 연고제를 실시하게 되면서부터예요. 이때부터 각 팀의 이름 앞에도 지역명이 붙게 된 것이지요. 포항 스틸러스, 인천 유나이티드처럼 말이에요. 만약 포항 스틸러스가 연고지인 포항 구장에서 경기를 치르면 '홈 경기'가 되는 것이고, 상대 팀의 지역으로 옮겨 경기를 하게 되면 '어웨이 경기'라고 한답니다. 또한 K리그에서 우수한 성적을 거둔 팀에게는 아시아 최고 클럽을 가리는 AFC 챔피언스리그에 참가할 수 있는 자격이 주어지지요.

2017 K리그에서 우승한 전북 현대

K리그1 소속 구단(2022 기준)

엠블럼	구단	연고지	리그 참가
	강원 FC	강원도	2009
	수원 FC	경기도 수원시	2003
	대구 FC	대구광역시	2003
	김천 상무 FC	경상북도 김천시	2021
	FC 서울	서울특별시	1984
	수원 삼성 블루윙즈	경기도 수원시	1996
	울산 현대	울산광역시	1984
	인천 유나이티드	인천광역시	2004
	성남 FC	경기도 성남시	1989
	전북 현대 모터스	전라북도 전주시	1994
	제주 유나이티드	제주특별자치도	1983
	포항 스틸러스	경상북도 포항시	1983

셋   우리나라의 축구장

약 100미터×60미터 정도의 축구장은 단순히 경기를 치르는 장소를 넘어 선수들이 꿈과 열정을 쏟는 곳이며, 동시에 팬들과 소통할 수 있는 곳입니다. 현재 우리나라에 있는 축구 전용 구장은 모두 10곳으로, 그중 다수는 2002 한일 월드컵 개최를 맞아 새롭게 건설한 곳이지요. 국내 축구 전용 구장 중 가장 큰 규모를 갖춘 곳은 마포구에 있는 서울 월드컵 경기장으로, 이곳은 6만 6천 명에 달하는 관중을 수용할 수 있어 2002년 한일 월드컵 개막식과 개막전 경기가 열리기도 했어요. 축구 전용 구장으로는 상당히 큰 규모로, 현재는 FC 서울의 홈구장이자 서울 시민들을 위한 복합 문화 공간으로 활용되고 있습니다. 그렇다면 한국 최초의 축구 전용 구장은 어디일까요? 바로 포항 스틸러스의 홈구장으로 사용되고 있는 포항 스틸야드입니다. 경상북도 포항시 남구에 위치한 포항 스틸야드는 1990년에 건립된 대한민국 1호 축구 전용 구장으로, 최대 2만 5천 명의 관중을 수용할 수 있는 규모지요. 이곳은 경기를 아주 가까운 거리에서 관전할 수 있는 것으로 알려졌는데, 그 이유는 그라운드와 관중석의 거리가 3미터밖에 되지 않기 때문이에요.

서울 월드컵 경기장 모습

국내 축구 전용 구장

구장	수용 인원	도시	사용 클럽	개장 연도
포항 스틸야드	17,443석	포항시	포항 스틸러스	1990년
광양 축구 전용 구장	13,496석	광양시	전남 드래곤즈	1993년
서울 월드컵 경기장	66,704석	서울특별시	FC 서울	2001년
울산 문수 축구 경기장	44,474석	울산광역시	울산 현대	2001년
수원 월드컵 경기장	43,959석	수원시	수원 삼성 블루윙즈	2001년
전주 월드컵 경기장	42,474석	전주시	전북 현대 모터스	2001년
대전 월드컵 경기장	40,535석	대전광역시	대전 시티즌	2001년
제주 월드컵 경기장	35,657석	서귀포시	제주 유나이티드	2001년
창원 축구 센터	15,116석	창원시	경남 FC	2009년
인천 축구 전용 경기장	20,891석	인천광역시	인천 유나이티드	2011년
DGB 대구은행 파크	12,419석	대구광역시	대구 FC	2019년
광주 축구 전용 구장	10,007석	광주광역시	광주 FC	2020년

서포터즈(supporters)란 특정 스포츠 팀의 팬을 뜻하는
말이에요. 흔히 축구는 선수와 관중이 함께하는 스포츠라고
하는데, 그런 이유에서 서포터즈를 '12번째 선수'라고
부르기도 합니다. 특히 K리그 경기에서 서포터즈는 관중
문화를 이끄는 큰 역할을 하고 있어요. 프로 야구나 프로 농구
경기에는 팀마다 전문 응원단인 치어리더가 존재하지만 축구는
순수하게 각 팀의 팬들이 자발적으로 결성한 서포터즈가
응원을 주도하고 있거든요. 그뿐만 아니라 서포터즈는 경기가
없을 때에도 온라인이나 오프라인 활동을 통해 다양한 행사나
팀과 관련된 캠페인 등을 벌이기도 하지요.

붉은악마의 엠블럼
ⓒ 대한민국 국가 대표
서포터즈 클럽

한국 축구 역사상 최초의 서포터즈는 1995년 유공 코끼리
구단의 서포터즈로 알려져 있으며, 가장 큰 규모의 서포터즈는
한국 국가 대표 팀의 서포터즈인 '붉은악마'예요. 붉은악마는
국가 대표 팀의 경기가 있을 때면 국내는 물론 해외 경기에서도
뜨거운 응원을 보내는 것으로 유명하답니다.

who? 지식사전

볼보이(Ball-boy)

볼보이는 축구, 야구, 테니스 등과 같은 구기 경기에서 사용되는 공을 관리하는 보조
인력을 말해요. 축구 경기 때 경기장 밖으로 나간 공을 재빨리 집어 나르는 어린이들이
나오는데, 그들을 볼보이라고 부르지요. 보통 경기에 투입되는 볼보이들은 경기장의 홈
구단에 소속된 유소년 팀의 선수들이 맡는 경우가 많아요.

테니스 경기에서의 볼보이

손흥민은 2008년, 당시 FC 서울의 유스팀인 동북 고등학교 축구 부원으로 서울 월드컵
경기장에서 볼보이를 했는데, 이때 이청용 선수의 플레이를 보면서 프로 축구 선수의
꿈을 키웠다고 해요. 흔히 볼보이는 남자들만 하는 것으로 알고 있지만, 여자 아이들도
볼보이로 나서는 경우도 있어 해외에서는 볼키드(Ball-kid), 볼퍼슨(Ball-person)이라는
호칭을 사용하기도 합니다.

4 세계 무대 데뷔!

구웅—

여기가 독일의 함부르크구나!

손흥민이 유학할 함부르크 SV는 1887년에 창단된 축구 클럽으로, 유럽을 대표하는 축구 리그 중 하나인 독일의 분데스리가에 소속된 역사와 전통이 있는 팀입니다.

여기가 함부르크 SV의 홈구장인 폴크스파르크슈타디온

벌써 가슴이 터질 것 같아!

유럽 축구를 배울 수 있는 좋은 기회야. 나한테 다시 없을 시간이지!

한국에서 독일로 유학을 간 손흥민과 김민혁, 김종필 선수 세 명이 함부르크 SV 유소년 팀에서 훈련을 하게 되었습니다.

너희는 앞으로 1년 동안 여기에서 훈련을 받게 될 것이다.

그리고 너희들은 유소년 팀에 등록되어 공식 리그에 참가하게 되고, 보여 주는 기량에 따라 정식으로 스카우트될 수도 있다.

스카우트요? 와, 대박!

유럽 축구 시스템을 배우는 건 물론, 구단에 입단할 수도 있다니……

지금까지 한국에서 훈련했던 것보다 두 배, 세 배, 아니 열 배는 더 열심히 배울 테다.

물론이지.
세계 최강 중 하나라
할 수 있어!

유럽 다른 나라보다는
조금 늦게 시작되었지만 지금은
'전차 군단'이라는 별칭에 알맞은
실력이지.

그런 곳에서
훈련을 받다니……
난 운이 좋아.

하하!
조, 조금만 천천히……
얘기해 줄래?
내, 내가 아직 독일어가
익숙지 않아서.

아, 미안!
이제 우리
차례야.

독일어는 익숙지 않아도,
네 축구 실력은 대단한 것
같아!

손흥민은 특유의 밝고 적극적인 성격으로, 독일어가 서툴러도
독일 선수들과 함께 이야기하며 유학 생활에 적응해 갔습니다.

홍민, 받아!

퉁

골대를 향해
빨리 뛰어야겠다!

팟

따돌릴 수 있겠어. 그럼 직접
골을 넣을까, 패스를 할까?

패스다!

타앗

팡

골!

어릴 때부터 다진 개인기에 독일에서의 팀 훈련이 더해져
손흥민의 축구 실력은 점점 더 향상되어 갔습니다.

양발을 다 사용하는 데다
엄청 빠르다. 공격수로 제격이군.

흥민, 나이스 어시스트!
네 덕이야!

골 넣은 네가
더 잘했지!

그리고 2009년 6월, 손흥민은 네덜란드에서 열린 경기에
함부르크 SV 유소년 팀의 주전 공격수로 출전해, 4경기 3골을 기록하였습니다.

2009년 10월, 손흥민은 FIFA가 주최하는 세계 청소년 축구 대회인
*U-17 월드컵에 한국 대표로 출전하게 되었습니다.

한국은 이탈리아, 우루과이, 알제리와 함께 F조가 되었고,
첫 예선 경기의 상대는 우루과이였습니다.

후……! 독일에서 외국 선수들과
운동을 해서 괜찮을 줄 알았는데,
실제 대회에 서 보니
엄청 긴장되네.

긴장하면 몸이 굳어져서
안 돼. 평소대로 하자.

타악

세계가 지켜보고 있다.
지금까지 배운 걸
보여 주면 돼!

* U-17 월드컵 만 17세 이하 선수들만 출전하는 대회

삐─익

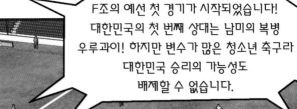

F조의 예선 첫 경기가 시작되었습니다!
대한민국의 첫 번째 상대는 남미의 복병
우루과이! 하지만 변수가 많은 청소년 축구라
대한민국 승리의 가능성도
배제할 수 없습니다.

그대로 슛! 골, 골입니다!
첫 골을 대한민국이
넣었습니다!

와─아─

아, 이때
남승우 선수에게
패스되는 볼!

전반 13분, 남승우 선수가 첫 골을 기록하며
대한민국이 1:0으로 앞서 나갔습니다.

하지만 후반 15분, 우루과이는
페널티 킥의 기회를 잡아 동점
골을 넣었습니다.

팡

승부는 원점.
이제부터
다시 시작이야.
후반전이니 다시
앞서가야 해!

공간이 비었다. 수비수도 없어.
주저하지 말고 그대로……!

제발, 제발!

후반 17분, 손흥민 선수의
추가 골이 터졌습니다!

동점 골을 허용한 직후의 골이라 대한민국 선수들의 사기가 되살아납니다!

아버지! 제가 세계 대회에서 골을 넣었어요! 모두 아버지의 가르침 덕분입니다!

이제부터 진짜 시작이에요!

손흥민은 전 세계가 지켜보는 가운데 첫 골을 넣었습니다.

그 후 후반전 45분, 우루과이 선수의 실수를 놓치지 않은 이종호 선수가 골을 넣어,
대한민국은 우루과이를 3:1로 이겼습니다.

며칠 후에 열린 예선 2차전, 이탈리아와의 경기에서는 전반 30분에 터진
대한민국의 페널티 골로 앞서갔으나, 후반전에 두 골을 허용하며 패하고 말았습니다.

아직 끝난 게 아니야.
마지막 예선전에서
무조건 승리한다.
16강에 진출하고 말 거야!

2009년 11월 1일, 예선전 마지막 경기가 열렸습니다.
상대는 이탈리아와 우루과이에게 모두 진 알제리였습니다.

전반전 초반, 이종호 선수의 선제골로 대한민국이 앞서가고 있었습니다.

골대 앞에는 상대 팀이 거의 없다.
이 선수만 제치면 돼.

왼쪽으로
가는 척하다가……

오른쪽으로 가면……

전반 22분, 손흥민이 추가 골을 넣어 결국 2:0으로 승리했습니다.

저렇게 민첩하게 움직이다니요! 알제리의 골키퍼도 이런 움직임을 예상치 못한 듯, 안타까워합니다!

그리고 대한민국은 16강에 올라 멕시코와 맞붙게 됩니다.

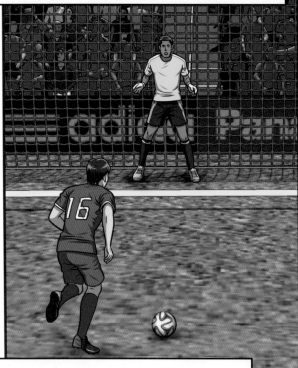

멕시코와 연장전까지 치렀지만 1:1 무승부가 되어 승부차기를 했고, 5:3으로 8강에 올랐습니다.

와 와

대한민국이 U-17 월드컵 8강에 오른 것은 1987년 캐나다 대회 이후 22년 만의 일이었습니다.

2009년 11월 8일, 나이지리아와의 8강전이 열렸습니다. 나이지리아는 청소년 축구팀 중 최강으로 꼽히는 팀이었습니다.

전반 23분에 터진 나이지리아의 선제골로 나이지리아가 앞서가고 있었습니다.

수비수가 바로 옆에 있어. 주저하면 빼앗긴다!

거리는 멀지만, 그대로 슛이다!

파앙-

손흥민 선수, 골대까지 약 35미터! 장거리 슛!

대한민국 선수들의 활약에도 나이지리아가 후반전에 두 골을 더 넣어 4강 진출에 실패하고 말았습니다.

와-아-

비록 4강 진출에는 실패했지만 2002 한일 월드컵 이후 축구 선수들의 세대 교체가 이루어지며, 앞으로 한국 축구에 희망을 본 대회라 할 수 있었습니다.

하…… 아쉽다. 조금만 더 잘했으면 4강에 오를 수 있었는데!

하지만 이기는 팀이 있으면 지는 팀이 있는 법. 더 열심히 훈련해 다음 대회를 기약해야지.

특히 세 골을 넣은 손흥민 선수는 이 대회로 가능성을 높이 사, 국내는 물론 해외의 여러 구단에서 눈여겨보는 선수가 되었습니다. 첫 세계 무대에서 자신의 능력을 명확히 보여 준 것이었습니다.

축구계의 전차 군단, 독일 축구

2014 브라질 월드컵에서 최종 우승한 독일
국가 대표 팀 © Danilo Borges

독일을 대표하는 스포츠인 축구는 국제 축구에서 전통과 힘을
지닌 것으로 유명해요. 1954년, 1974년, 1990년, 2014년까지
총 네 번이나 FIFA 월드컵 우승을 차지했으니까요. 독일의
대표 팀은 그 막강한 전력을 막을 자가 없다고 하여 '전차
군단'이라고도 불립니다.

1890년대 잉글랜드를 통해 현대식 축구를 접한 독일은
1900년 독일 축구 협회를 설립하고, 여덟 번째로 FIFA
회원국으로 가입했어요. 하지만 두 차례나 세계 대전을 치르며
독일 축구는 큰 위기를 맞았지요. 전쟁 중에도 국가 대항전에
참가하며 비교적 좋은 성적을 보여 주기는 했지만, 제2차 세계
대전이 끝난 뒤 FIFA는 독일이 국가 대항전에 나갈 수 없도록
징계했어요. 얼마 뒤 징계는 해제되었지만 독일은 한 민족임에도
세 개의 대표 팀(서독, 동독, 자르보호령)으로 갈렸고, 1974
서독 월드컵에서는 서독과 동독이 결승전에서 만나 승부를
가르기도 했어요. 그 후 독일의 공식 대표 팀이 된 서독은

who? 지식사전

독일 축구 국가 대표 팀 모습
© Steindy

독일 대표 팀의 별명 '전차 군단'

각 나라의 축구 국가 대표 팀은 저마다 특색 있는 별명이 뒤따르는데, 월드컵 최다
우승국인 브라질은 '카나리아'라는 별명으로 불려요. 눈에 확 띄는 노란색 유니폼이
카나리아(몸통 깃털이 노랑인 새)를 연상시킨다고 해서 붙은 별명이에요. 유니폼의
색에 따라 별명이 붙은 대표 팀이 많은데, 프랑스는 파란군단, 우루과이는 하늘군단,
칠레는 빨간군단, 우리나라 대표 팀은 태극전사로 불립니다. 한편 독일은 전차
군단이라는 별명으로 유명한데, 그 이유는 독일이 주축이 됐던 제2차 세계 대전의
이미지 때문이에요. 제2차 세계 대전 당시 독일의 주력 무기였던 전차의 위용이
대단했는데, 독일 선수들의 빈틈없고 강력한 플레이가 전차의 위력을 닮았다 하여
붙여진 별명이랍니다. 하지만 정작 독일 선수들은 가슴 아픈 전쟁의 기억을 떠올리게
하는 이 별명을 그다지 좋아하지 않는다고 해요.

월드컵에서 좋은 성적을 거두었고, 통일이 된 다음에도 독일의
국가 대표 팀은 세계 축구 최강자로 군림하고 있습니다.

하나 **FIFA 랭킹과 역대 전적**

FIFA는 1993년 8월부터 매달 회원국들의 경기 성적을
분석해 순위를 발표하고 있습니다. 'FIFA 랭킹'으로
불리는 이 순위는 월드컵 본선 시드 배정에도 활용되기
때문에 211개 회원국과 축구 팬들이 늘 촉각을 세우고
결과를 지켜보지요. FIFA 랭킹의 순위 선정 방식은
각 대표팀의 경기 성적을 점수화해서 최종 순위를
발표하는데, 경기의 결과와 중요도, 상대 팀 랭킹 등을
따져 포인트를 계산하고, 월드컵 우승국에게는
3백 점을 추가해 줘요. FIFA 랭킹이 도입된 후 처음 1위에
오른 국가가 바로 독일이에요. 서독과 동독이 통일을 한
1990년대에는 사회 전반적으로 혼란이 있어 축구 역시
침체기를 겪었지만 독일의 전차 군단은 멈추지 않고 내달려
2010년대에 들어 다시 강팀의 면모를 과시하기 시작했어요.
그리고 마침내 2014 브라질 월드컵에서 네 번째 우승컵을
들어 올려 실력이 녹슬지 않았음을 증명했습니다.

브라질 축구 국가 대표 팀 모습 ⓒ Danilo Borges

우루과이 축구 국가 대표 팀 모습
ⓒ Jimmy Baikovicius

FIFA 랭킹 관련 기록 상위권 국가(2021년 12월 기준)

국가	FIFA 월드컵 우승 횟수	역대 최저 랭킹	1위 횟수
브라질	5회	22	151회
독일	4회	22	29회
아르헨티나	2회	24	26회
스페인	1회	25	64회
프랑스	2회	27	15회

둘 ⟨ 대표적인 선수

여러분은 독일의 축구 선수 중에 좋아하는 선수가 있나요?
독일의 축구 역사를 살펴보면 전설이라 불리는 위대한
선수들이 몇몇 있는데, 그중에 가장 빈번하게 이름이 거론되는
선수는 프란츠 베켄바워입니다. 그는 선수로서뿐 아니라
지도자로서도 성공을 거둔 독일의 축구 영웅이에요. 데뷔와
동시에 국가 대표 팀에 발탁되어 A매치 103경기를 소화했고,
1974 서독 월드컵에서는 독일을 우승으로 이끌었어요. 독일이
세계 축구의 최강 팀으로 군림하는 데 결정적인 역할을 한
베켄바워는 선수 생활을 마친 뒤에도 독일 축구의 발전을 위해
헌신했는데, 1990 이탈리아 월드컵에서는 독일 대표 팀의 총
지휘를 맡아 팀을 우승으로 이끌기도 했어요.

프란츠 베켄바워 © Ralf Roletschek

'득점 기계'라는 별명으로 유명한 게르트 뮐러 역시 독일을
대표하는 축구 선수인데, 그는 대표 팀으로 활동할 당시
62경기에 나가 68골을 터뜨리는 놀라운 기록을 세우기도
했어요. '독일의 폭격기'로 불리며 역대 최고의 공격수인 뮐러는
분데스리가 시즌 최다 득점자 7회, 유로 챔피언십 최다 득점자
4회에 빛나며, 이는 축구 천재라 불리는 메시도 쉽게 뛰어넘지
못한 기록이에요. 그는 월드컵에서 통산 14골을 넣어 32년 동안
최고 득점 기록으로 남아 있었으나, 2014 브라질 월드컵에서
브라질의 호나우두가 15호 골을 터뜨리면서 깨지고 말았어요.
2018년에는 독일의 미로슬라프 클로제 선수가 16득점으로 최다
골을 기록했습니다.

이밖에도 1990년대 가장 강력한 스트라이커라 불리는
위르겐 클린스만, 2002 한일 월드컵에서 최고 골키퍼에
주어지는 '야신상'을 받은 올리버 칸을 비롯해 미하엘 발락,
미로슬라프 클로제와 같은 선수들이 독일 전차 군단을 빛냈던
선수들입니다.

게르트 뮐러 © Alexander Hauk

셋 **엠블럼의 뜻**

대한민국 축구 대표 팀의 엠블럼은 용맹과 지혜를
상징하는 호랑이가 주인공이에요. 그렇다면 독일 대표
팀의 엠블럼은 어떤 상징과 의미가 담겨 있을까요?
독일 대표 팀 선수들의 유니폼에는 세 개의 원 안에
독수리가 그려진 엠블럼이 새겨져 있는데, 독수리는
독일의 국장(국가를 대표하는 휘장)에도 사용될
만큼 그들을 상징하는 동물이지요. 용맹과 위엄,
자유를 상징하는 독수리는 독일 축구 협회의
마스코트이기도 해요. 검은 깃털에 노란 부리를
지닌 마스코트의 이름은 '파울러'로, 독일을
여행하다 보면 곳곳에서 쉽게 찾아볼 수 있어요.
독일 대표 팀의 엠블럼은 선수들이 입는 유니폼 왼쪽 가슴
상단에 새겨지며, 유니폼은 단순하고 깔끔한 디자인으로,
흰색 바탕에 국기에 사용된 검정, 노랑, 빨강이 고루 들어가
있습니다.

독일 국가 대표 팀의 엠블럼

who? 지식사전

한국 대표 팀과의 역대 전적

한국은 2018 러시아 월드컵에서 16강 진출에는 실패했지만, 같은 조에 편성된 독일과의 경기에서는 2:0으로 승리했어요.
한국과 독일이 월드컵에서 처음 만난 것은 1994 미국 월드컵 조별 리그로, 당시 2:3으로 한국이 패했어요. 그리고 2002
한일 월드컵 준결승에서 다시 마주쳤을 때도 1:0으로 한국이 아쉽게 패했지요. 2016 리우 올림픽 조별 리그에서는 3:3
무승부로 끝났어요.
독일과 한국은 분단의 아픔을 지닌 국가라는 점에서부터 많은 부분 닮아 있는데, 과거 우리나라 경제 성장기에도 긴밀한
협력을 통해 국가 간에 좋은 교류 관계를 유지해 왔어요. 최근에는 독일에서 한국 문화 페스티벌이 개최될 만큼 독일인들이
한국 문화에 높은 관심을 보이고 있으며, 한국인들은 독일 축구에 많은 관심과 애정을 보이고 있습니다.

5 전차 군단에 합류하다

2009 U-17 월드컵이 끝나자, 한국은 물론 세계에서도 손흥민에 대한 관심이 뜨거웠습니다.

비록 도전은 8강에서 멈추었지만, 당시에는 잘 알려지지 않은 손흥민이란 선수의 활약이 돋보였기 때문이었습니다.

함부르크로 가겠다고 결정한 거냐?

네, 1년 동안 많은 걸 배웠지만 아직 부족해요.

그곳에서 배우면 제가 더 성장할 수 있을 거 같아요.

그래, 네 선택을 존중하겠다.

한국에서의 고등학교 생활을 포기하는 건 아쉽지만, 멀리 보자. 축구 선수로서의 삶은 이제 시작이야.

손흥민은 1년 동안 유학을 했던 함부르크에 가기로 결정한 뒤, 고등학교를 자퇴하고 독일로 향했습니다.

독일로 간 손흥민은 함부르크 SV 유소년 팀과 정식 계약을 맺었습니다.

전엔 유학생이었지만 이젠 정식 선수가 되어 돌아왔어.

데뷔전에서 내 이름을 제대로 알려야지!

흥민!

다시 돌아와서 너무 반갑다. 너와 호흡을 맞출 수 있어서 정말 기뻐! 앞으로 잘해 보자!

말이 너무 빨라서 무슨 말인지 잘 못 알아듣겠어.

지난 1년 동안 유학하며 독일어가 익숙해지긴 했지만, 아직 멀었어.

손흥민은 유학 시절부터 언어가 달라 의사소통에 불편함을 느꼈습니다.

하하! 조, 조금만 천천히…… 얘기해 줄래? 내, 내가 아직 독일어가 익숙지 않아서.

한국어를 하는 것처럼 독일어도 자연스럽게 구사해야 해.

흥민, 뭐 해?

아, 독일어 공부 중이야.

응? 이건 어린이 만화 아니야?

내가 아직 독일어를 잘하지 못해서, 쉬운 것부터 배우는 거야.

어린아이처럼 차근차근 공부하는 거구나?

앞으로 여기에서 독일 선수들과 함께 훈련하고, 또 경기를 뛰려면 소통이 잘되어야 하잖아.

내가 하고 싶은 축구를 하려면 공부 또한 필요해. 특히 언어! 그래서 저녁 자유 시간에는 언어 공부를 하려고.

대단해! 나도 도와줄게. 언제든 물어봐!

고마워. 열심히 공부해서 독일 사람처럼 유창하게 얘기하겠어!

손흥민은 독일어는 물론 영어 또한 공부하였습니다. 축구를 배울 때 기본기를 탄탄히 했던 것처럼 세계적인 축구 선수가 되려면 언어는 기본이라 생각했기 때문이었습니다.

2010년 8월, 함부르크 SV와 첼시 FC의 친선 경기가 열렸습니다.
1:1로 비기고 있는 상황에서, 손흥민은 후반 37분에 교체 투입되었습니다.

그리고 5분 뒤인 후반 42분. 손흥민은 골 찬스를 잡았고,
강력한 왼발 슛으로 역전 골을 넣었습니다.

내가 골을 넣다니······
가슴이 터질 것 같아!

손흥민의 역전 골로 함부르크 SV는 경기에서 이겼고,
이를 계기로 손흥민의 이름은 유럽 전역에 알려졌습니다.

유소년 팀과 2군에서 실력을 인정받은 손흥민은
얼마 후, 함부르크 SV의 1군 팀에 합류하게 되었습니다.

세계적인 공격수 파올로 게레로와
뤼트 판 니스텔로이가
내 눈앞에 있다니!

당시 함부르크 SV 1군에는 2006년부터 함부르크 SV 선수로 활약한 페루 선수인 파올로 게레로,
2005년에 맨체스터 유나이티드에서 박지성 선수와 동료였던 뤼트 판 니스텔로이 등 쟁쟁한 선수들이 있었습니다.

대단한 선수들 사이에서
내가 뛰는 거야.
내가 배울 수 있는 건 모조리
배우겠어!

흥민, 환영해!
난 박지성 선수와도 함께
뛰었던 적이 있어서, 한국 선수인 네가
특별히 더 반가워.

앞으로
잘해 보자.

제가 더
잘 부탁드려요.
열심히 배우겠습니다!

손흥민은 2010-11 시즌 개막을 앞두고 아홉 번의
연습 경기에서 9개의 골을 넣는 활약을 했습니다.

연습 경기에서
골을 넣었다고 해서
들뜨지 말자.
정식 데뷔전에서
내 존재를
드러내야 해!

독일에서의 손흥민에 대한 기대는 더욱 커졌지만,
손흥민은 흔들리지 않고 데뷔전 연습에 집중했습니다.

2010년 10월 30일, 2010-11 시즌 분데스리가의 함부르크 SV와 FC 쾰른의 경기가 열렸습니다. 이 경기에 손흥민은 선발 출전했습니다.

후…… 드디어 데뷔전이야. 게다가 교체도 아닌 선발!

그의 나이 열여덟 살이었습니다.

데뷔전이라 떨리지?

팀에 방해가 될까 걱정돼요.

넌 분명 잘할 거야. 네 스스로를 믿어.

스스로를 믿어라…… 그래. 한번 해 보자!

전반 23분

슝

오, 손흥민~

통

골대 앞이 비었어.
기회야!

파앙

그렇죠, 왼발 슛!

손흥민은 데뷔전에서 첫 골을 넣었습니다.
함부르크 SV 사상 최연소 골이었습니다.

비록 이 경기는 역전패 당했지만, 손흥민이라는
이름을 독일에 알리는 데 충분했습니다.

전차 군단에 합류하다   **113**

경기 후, 독일 언론은 신인 선수 손흥민에 대해 '함부르크의 보석'이라는
찬사를 보내며 그의 실력을 높이 샀습니다.

제가 잘하고 있다고
생각하지 않습니다.
아직 헤딩 실력도 부족하고……
저는 연습이 더 필요합니다.

팀에 있는
다른 선수들처럼 되기 위해
지금부터 부단히 노력할
것입니다.

하지만 손흥민은 침착하고 겸손한 자세를 유지했습니다.

데뷔전 후에 언론에서
난리던데?

에이, 아니에요.

아니긴. 사실 네가 입단했을 때, 함부르크 홈페이지에서도 너에 대한 기대를 보였는걸?

"한국에서 온 소년이 첫 훈련에서 모든 팬들을 놀라게 했다!"라며 감독님도 칭찬하셨잖아.

아마 대한민국에서도 널 지켜보고 있을걸? 국가 대표로 말이야!

전 더 많은 걸 배워야 해요. 국가 대표는 아직 먼 미래의 일이에요.

실제로 독일뿐 아니라 대한민국에서도 어린 선수 손흥민을 눈여겨보고 있었습니다.

2011년 *AFC 아시안컵을 앞둔 2010년 12월, 손흥민은 국가 대표에 발탁되었습니다.
그리고 12월 30일, 시리아와의 평가전에 후반전 때 교체 출전해 *A매치에 첫 출전하게 되었습니다.

당시 그의 나이 '만 18세 175일'로,
대한민국 축구 국가 대표 중
역대 4번째 최연소 출전이었습니다.

유소년 국가 대표를 했지만,
이건 달라. 나라를 대표하는 것이니,
최선을 다해야 해.

박지성 선수가 이끄는 국가 대표 팀은
손흥민을 비롯한 신예 선수들의 활약을 더해
1:0으로 승리했습니다.

* **AFC 아시안컵** 아시아 지역의 축구 행정을 관할하는 축구 기관인
아시아 축구 연맹(AFC-Asian Football Confederation)이
주최하는 리그로, 4년마다 개최
* **A매치** 클럽 간의 경기가 아닌 정식 국가 대표 팀 간의 경기로,
FIFA 랭킹 산정의 기준이 됨

그리고 2011년 1월 18일 아시안컵 조별 예선
최종전인 인도와의 경기에 출전했습니다.

기성용 선수가 들어가고
손흥민 선수가 그라운드로
나왔습니다.

후반 36분

손흥민은 A매치 데뷔 골을 터뜨리며
대한민국이 승리하는 데 한몫을 했습니다.

팡

손흥민의 골!

GOAL

손흥민의 골은 역대 최연소 득점 2위로,
손흥민에 대한 기대가 치솟게 되었습니다.

독일로 돌아간 손흥민은 분데스리가 2012−13 시즌을 맞이했습니다.

그리고 프랑크푸르트와의 경기에서
시즌 첫 골을 넣었습니다.

그 후 34경기에 출전해 12골을 넣으며
팀 내에서도 에이스로 부상했습니다.

이는 유럽에서 활동한 대한민국 선수 중
네 번째로 두 자릿수 득점을 달성한 것이며,
특히 *유럽의 빅리그에서는 차범근 선수에
이은 두 번째 고득점이었습니다.

손흥민이 2010년부터 2013년까지
함부르크 SV에서 활동하며 총 79경기
20골 3도움을 기록했습니다. 그리고
함부르크 SV 역대 베스트 11에
선정되었습니다.

2013년 시즌이 끝난 뒤 프리미어리그와 분데스리가 여러 팀에서 손흥민을 영입하려 했고,
결국 독일의 바이어 04 레버쿠젠으로 이적을 확정 지었습니다.

이제 시작이야.
앞으로 더 큰 선수가
되겠어!

* **유럽의 빅리그** 잉글랜드 프리미어리그,
  독일 분데스리가, 스페인 라리가,
  이탈리아 세리에A

독일 축구의 심장, 분데스리가

BUNDESLIGA

분데스리가의 엠블럼

독일의 프로 축구 리그 분데스리가. 분데스리가는 독일어로 'Bundes(연방)'와 'Liga(리그)'가 합해진 말이에요. 독일의 정식 명칭은 '독일 연방 공화국'으로, 각 지방의 고유한 문화를 유지한 연방 정부와 16개의 주 정부로 구성되어 있거든요. 1963년에 시작된 분데스리가는 세계에서 가장 부유한 리그, 세계에서 가장 평균 관중이 많은 리그로도 유명하답니다. 지난 2010-11 시즌부터 2016-17 시즌까지 경기당 평균 관중은 4만 2,388명으로, 이는 프리미어리그보다 많으며, 세계 최다 관중 기록을 지닌 미국의 미식축구 경기에 이어 두 번째로 많은 관중이 관람하는 경기랍니다.

하나 　분데스리가의 역사

시즌마다 뜨거운 열기로 이름 높은 분데스리가는 1963년 8월 24일에 시작되었습니다. 그 전에는 지역별로 리그를 치른 후 우승 클럽들이 모여 챔피언을 선출했는데, 독일 축구 클럽들의 전력을 국제 수준으로 끌어올리기 위해 새로운 리그를 만들게 된 것이지요.

처음 리그가 시작되었을 때는 서독 지역의 16개 클럽이 참가했는데, 해를 거듭할수록 리그 운영이 안정되고 인기가 높아져 참가하는 클럽의 수도 늘어, 1965년에는 총 18개 클럽이 분데스리가에 참가했습니다. 또 1990년 독일 통일 이후에는 동독에는 별도의 리그 시스템인 '오베르리가'가 운영되고 있다가 통일 이후 분데스리가에 합류했어요.

분데스리가에 속한 함부르크 SV,
VfL 볼프스부르크

둘 리그 운영 방식

분데스리가는 1부 리그와 2부 리그로 나뉘어
운영되고, 시즌마다 각 클럽의 점수를 합산해
승격과 강등 여부를 결정합니다. 1부와 2부 리그에
각 18개 클럽이 참가하며, 소속 클럽들은 홈 앤드
어웨이 방식으로 클럽당 34경기를 치러요. 시즌이
끝날 때 상위 리그 17, 18위 팀은 하위 리그로
강등당하고, 하위 리그에서 1, 2위를 한 팀은 상위
리그로 승격됩니다. 그리고 1부 리그 16위 팀과 2부
리그 3위 팀은 플레이오프를 진행하여 승격과 강등을
결정합니다.

분데스리가는 매년 8월 전기 리그가 시작되고, 12월부터
2월까지 휴식기를 가진 후에 다시 5월 중순까지 후기 리그를
치르지요. 다른 리그에 비해 겨울 휴식기가 길다는 평도 많은데,
그건 독일의 겨울이 몹시 춥기로 유명하기 때문이에요.

2006 독일 월드컵을 앞두고 지어진 독일 알리안츠 아레나
축구 경기장 © Patrick Huebgen

who? 지식사전

분데스리가 우승 트로피 '마이스터 샬레'

우승의 기쁨을 만끽하는 순간에 빠질 수 없는 것이 바로 우승 트로피입니다. 분데스리가의
우승 트로피는 독특한 디자인으로도 유명한데, 보통 다른 스포츠 종목의 우승 트로피는
컵의 형태를 띤 것이 많아요. 하지만 분데스리가 우승 트로피는 커다란 접시를 닮은
모양입니다. 이 트로피는 독일어로 접시를 뜻하는 '샬레'와 우승자를 뜻하는 '마이스터'를
합쳐 '마이스터 샬레'라고 불립니다.

분데스리가 우승 방패인 마이스터
샬레 © DerHans04

마이스터 샬레의 크기는 지름 59센티미터이며 무게는 11킬로그램이나 돼요. 마치 방패를
연상케도 하는 마이스터 샬레의 특징은 그 안에 빼곡히 적힌 역대 우승 팀의 이름과 해당
연도예요. 분데스리가 창설 전부터 독일 지역 리그 우승 팀까지 무려 1백 년이 훌쩍 넘는
역사 동안의 우승 팀 이름을 새겼기 때문에, 두 번에 걸쳐 테두리가 추가되었어요.

한편 2017년 11월 2일에는 '분데스리가 레전드 투어 IN 코리아'를 기념해 마이스터
샬레가 아시아 최초로 공개되었는데, 분데스리가의 전설로 명성 높은 차범근 선수가 직접
들고 공개해 많은 화제가 되기도 했습니다.

셋　분데스리가 소속 클럽

분데스리가에는 오랜 전통과 역사를 지닌 명문 구단들이
많은데, 주목할 점은 모두 시민 구단으로 운영되고 있다는
점입니다. 이것은 분데스리가만의 독특한 운영 방식으로,
각 구단 지분의 절반은 팬과 구단이 가지고 있어야만 하지요.
기업이나 외국 자본이 들어가면 상업적으로 변질될 것을
방지하는 차원에서 마련된 규칙입니다. 그래서 분데스리가는
각 구단과 소속 지역의 시민들 간의 연계가 매우 잘되어
있는 것으로도 유명해요. 시민들은 자신이 살고 있는 지역을
대표하는 구단에 무한한 애정과 자부심을 갖고, 경기 때마다
열렬한 응원을 보내요. 그리고 구단은 지역 경제의 활성화를
위해 일자리를 제공하고 다양한 이벤트를 통해 시민들과
소통합니다. 바로 이런 점이 분데스리가가 세계에서 가장
뜨거운 열기를 지닌 리그로 성공할 수 있던 열쇠가 되어 준
것이지요. 그럼 지금부터 분데스리가를 대표하는 구단들에 대해
알아볼까요?

뮌헨의 브레우하우스트라세(Brauhausstraße)에
위치한 FC 바이에른 뮌헨의 팬샵 ⓒ High Contrast

FC 바이에른 뮌헨

1900년에 설립된 FC 바이에른 뮌헨은 창단 초기부터 뛰어난
선수들을 다수 영입해 경기마다 승승장구하며 발전했어요.
총 31회의 우승컵을 들어 올려 분데스리가 1부 리그 중 최다
우승 팀이라는 타이틀을 거머쥐었어요. 팀의 이름에서 알 수
있듯이 FC 바이에른 뮌헨은 독일에서 세 번째로 큰 도시인
뮌헨을 연고지로 하고 있으며, 홈구장은 알리안츠 아레나로
이곳은 유럽에서도 규모가 큰 경기장으로 유명하지요.

2010-11 시즌 우승 방패를 든 보루시아
도르트문트 선수들 ⓒ Steffen Flor

보루시아 도르트문트

일명 '꿀벌 군단'으로도 불리는 보루시아 도르트문트는
1909년에 설립된 구단입니다. 꿀벌 군단이라는 별명은 유니폼의
색깔에서 비롯된 것인데, 노란색 바탕에 검은 줄무늬가

들어간 홈경기 유니폼이 마치 꿀벌을 떠오르게 하는 색상이기 때문이에요. 한때 심각한 재정난을 겪기도 했지만, 가까스로 위기에서 벗어난 보루시아 도르트문트는 구단을 재정비하는 데 힘써 현재는 분데스리가의 강호로 상위권을 유지하고 있습니다.

함부르크 SV

1887년에 창단되어 독일 프로 축구 구단 중 오래된 전통과 역사를 자랑하는 함부르크 SV. 1963년 분데스리가 출범 당시 원년 멤버로 참가한 함부르크 SV는 꾸준히 상승세를 이어 갔지만, 번번이 우승을 코앞에 둔 상황에서 FC 바이에른 뮌헨에게 발목을 잡혔습니다. 그럼에도 불구하고 뛰어난 감독을 영입하고 선수들을 발굴하며 안정적으로 리그를 이끌어 나갔습니다. 그 덕분에 함부르크 SV는 분데스리가 1부 리그에서 오랫동안 강등되지 않고 좋은 성적을 유지할 수 있었습니다. 분데스리가의 역대 우승 기록은 총 6회, 홈구장은 5만 6천여 명을 수용할 수 있는 폴크스파르크슈타디온을 사용하고 있습니다.

함부르크 SV의 우승 트로피들 ⓒ HSV-Museum

FC 샬케 04

1904년 동네 고등학교 학생들의 모여서 만든 클럽으로 출발해, 실력과 명성을 쌓아 가면서 연고 지역을 대표하는 구단으로 성장한 FC 샬케 04. 연고지인 노르트라인베스트팔렌의 샬케가 독일의 유명한 광산 지대라 팀의 별명이 '광부들'이기도 하지요. 1930년대에는 독일 전국 리그를 재패하면서 강호로 인정받았지만, 안타깝게도 분데스리가가 출범한 이후에는 우승은 하지 못하고 준우승만 여섯 번을 해 팬들이 아쉬움을 달래야만 했어요. 한편 노르트라인 베스트팔렌주를 같은 연고지로 삼고 있는 보루시아 도르트문트와 라이벌로, 두 팀의 승부는 늘 화제가 된답니다.

FC 샬케 04 서포터즈 모습 ⓒ Orchi

팔방미인 스트라이커

아버지와 오랜만에 같이 훈련하는 거 같아요. 함부르크에 있을 때는 아버지가 독일로 오셔서 개인 훈련도 같이 했었는데.

그때는 상승세를 탄 데다 언론에서도 널 띄워 주는 바람에 네가 자만하지 않을까 걱정도 되었다.

그래서 다른 생각 안 하도록 철저하게 단련시킬 수밖에 없었지.

예전에, 시합 때
장난을 친 벌로 양발로 리프팅만
네 시간을 한 적도 있잖아요.
그때는 정말 공이 여러 개로
보일 정도였다니까요.

세상에는
그냥 되는 게 없다.
노력을 하지 않으면
미래는 없어.

알아요.
온몸이 공을 제대로
다룰 수 있어야 한다는
아버지의 가르침 때문에
제가 여기까지 올 수
있었는걸요.

어릴 때처럼 매일 너와 연습을
할 수는 없지만, 네가 축구 선수로
있는 마지막 날까지 너와 함께
운동을 하는 게 내 바람이다.

너는 아직 가야 할 길이 머니
훈련은 계속해야 한다.
자, 그럼…… 나보다 먼저
공을 떨어뜨리면 처음부터
다시 시작이다!

으……!

퉁

퉁

바이어 04 레버쿠젠은 독일의 제약 회사 '바이어(Bayer)'에 의해 1904년에 창단된 축구 클럽입니다. 1983년에서 1989년까지 차범근 선수가 활약하면서, 1988년에는 *UEFA컵에서 우승한 이력도 있습니다.

함부르크에서 네 활약을 봤어. 대단하던데?

레버쿠젠 역대 최고의 이적료를 받은 손흥민은 등번호 7번을 부여받았습니다. 이는 손흥민에 대한 기대가 얼마나 큰지 느낄 수 있는 일이었습니다.

아직 멀었지. 레버쿠젠에서는 더 좋은 모습을 보여야 해.

기대할게! 앞으로 호흡 잘 맞춰 보자.

* **UEFA컵** 유럽 축구 연맹(Union of European Football Associations)이 주관하는 유럽 대륙의 축구 대회

들던 대로 적응력이 좋군.

아시아 선수지만 체격도 좋습니다. 스피드도 뒤지지 않아요.

아하하! 흥민 넌 정말 쿨가이야!

손흥민이 팀에 빠르게 적응할 수 있었던 가장 큰 이유는 바로 언어 구사력이었습니다.

함부르크 SV 시절부터 손흥민은 독일어와 영어 공부를 게을리하지 않아, 외국 선수들과 소통은 물론 인터뷰도 통역 없이 할 수 있을 정도로 외국어를 완벽하게 구사할 수 있었기 때문입니다.

*프리 시즌이지만 내일이 레버쿠젠에서의 첫 출전이야.

독일에 처음 온 해가 2010년. 그리고 지금은 2013년.

그동안 내가 얼만큼의 실력을 쌓았는지 보여 줘야 해!

* 프리 시즌 정규 시즌 전, 다른 팀과의 시범 경기를 통해 다음 시즌을 위한 전술 준비와 새로 영입한 선수들의 기량 테스트 등이 이루어지는 기간

히피아 감독은 강력한 수비력을 바탕에 둔 역습 축구를 구사하는 스타일이었습니다.
손흥민의 전임자도 감독의 요구에 따라 수비에 적극 가담하는 선수였습니다.

흥민, 이적 후 강도 높은
훈련을 소화해 줘서 고맙다.
자네는 빠르고, 위협적인
공격력을 갖추었어.

네, 전 준비돼
있어요.

앞으로는
팀을 위해 많이 뛸
필요가 있어.

원래 공격수였던 손흥민은 수비를 강화하기 위해 무던히 연습했습니다.

그리고 손흥민은 8월 3일에 열린 독일 *포칼컵 1차전에서 후반 교체 출전해
공식적인 데뷔전을 치러, 그 경기에서 데뷔 골을 넣었습니다.

그 후 프리 시즌에서 3경기당 1골을 넣으며 팀을 승리로 이끌었고,
정규 시즌에 대한 기대를 높였습니다.

* **포칼컵** 독일 FA컵 축구 대회로, 프로와 아마추어
모든 클럽이 참가

2013년 11월 9일, 레버쿠젠과 함부르크 SV의 경기가 열렸습니다.
시즌의 12라운드 경기였습니다.

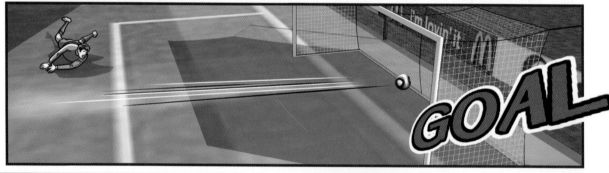

전반 9분, 손흥민은 레버쿠젠의 곤살로 카스트로의
패스를 받은 뒤 왼발 슈팅으로 선제골을 넣었습니다.

그리고 전반 16분, 두 번째 골을……

팡-

그 후 2:2 동점인 상황에서 후반 10분에
세 번째 골을 넣으며 해트 트릭을 기록했습니다.

이 경기에서 레버쿠젠은 5:3으로 승리했고, 손흥민은 3골 1도움을 기록했습니다.
이는 손흥민이 분데스리가 개막전 이후 91일 만에 나온 기록이었습니다.

또한 한국인 선수로서 유럽 빅리그에서
기록한 첫 해트 트릭이었습니다.

함부르크에는 항상 감사하고
미안한 마음입니다. 하지만 지금의
기쁨을 감출 수는 없습니다.

손흥민은 이 활약으로 평점 만점을 받으며 '*MOM(Man Of the Match)'에 선정되었고, FIFA는 홈페이지 메인 화면에 손흥민의 활약상을 소개했습니다.

그리고 〈키커〉, 〈빌트〉, 〈유로 스포르트〉 등 독일의 언론사들이 선정한 '베스트 11'에 포함되었습니다. 또한 영국의 통계 전문 사이트 '후스코어드닷컴'에도 분데스리가 12라운드 '베스트 11'의 미드필더 중 한 명으로 지목되었습니다.

또한 〈키커〉지가 주마다 한 명씩 선정하는 2013-14 시즌 12라운드 '이 주의 선수'에 올랐고, 분데스리가 홈페이지에서 이루어지는 최우수 선수 투표 결과, 압도적인 득표율로 12라운드 최고의 선수에도 뽑혔습니다.

* MOM(Man Of the Match) 경기 중의 최우수 선수

이후 손흥민은 43경기에서 12골 7도움을 기록하며 2013-14 시즌을 마무리했습니다.
한국인으로는 1985-86 시즌 차범근 선수 이후 두 번째 두 자릿수 골 기록이었습니다.

2014년 6월 13일, 2014 FIFA 월드컵이 브라질에서 열렸습니다.

GROUP H

BELGIUM

ALGERIA

RUSSIA

KOREA REPUBLIC

손흥민은 홍명보 감독이 이끄는 대한민국 국가 대표 팀의 막내로 조별 리그에 참여했습니다.

대한민국은 벨기에, 알제리, 러시아와 함께 H조에서 예선전을 치르게 되었습니다.

우아, 선배님들이다!
선배님들 따라서 열심히 뛰어야지!

6월 18일, 16강으로 가기 위한 조별 예선전. 대한민국의 첫 번째 상대는 러시아였습니다. 후반 23분, 이근호 선수의 오른발 슈팅이 골라인을 통과하며 선제골을 터트렸습니다.

하지만 6분 후, 러시아의 동점 골이 들어가며 1:1 무승부로 아쉬운 첫 경기를 끝냈습니다.

그리고 6월 23일 조별 예선 2차전, 알제리와의 경기가 열렸습니다.

하지만 전반에만 3골을 허용하여 팀 분위기는 무거워졌습니다.

후반전이 남아 있다.
전반전은 털어 버리고, 후반전에 더욱 집중하도록!
후회 남는 경기는 하지 말자!

상대팀에 휩쓸려서는 안 돼. 정신 차리자!

팔방미인 스트라이커 **135**

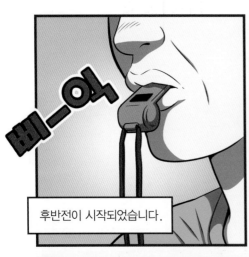

삐—익

후반전이 시작되었습니다.

볼을 잡은 손흥민!

콰—악

손흥민 그대로 슛~ 골입니다!

후반 5분, 손흥민이 골을 넣었습니다.
이는 손흥민의 월드컵 첫 번째 골이었습니다.

아직 끝나지 않았어!

이후 구자철 선수의 추가 골이 터졌지만 결국 2:4로 알제리에 패하고 말았습니다.

내가 첫 골을 넣은 건 중요한 게 아니야. 그 기쁨보다 팀이 진 게 가슴이 아프다.

6월 27일, 조별 예선 3차전에서 벨기에에 0:1로 패하면서, 대한민국 대표 팀의 16강은 좌절되었습니다.

경기 후 손흥민은 아쉬움이 가득한 뜨거운 눈물을 흘렸습니다.

이렇게 끝이 나다니……
더 잘했어야 했는데!

첫 번째 월드컵이 끝났다.

대한 민국~ 대한 민국~

하지만 밤늦게,
새벽 일찍 일어나 응원해 주신
국민들께 좋은 모습을 보여 드리지
못했지.

그날의 눈물, 절대 잊지 않을 거야.
언젠가 그 눈물을 웃음으로
갚아 주겠어!

그렇다면 언제까지 이렇게
주저앉아 있을 수는 없지.

곧 새로운 시즌이 시작된다.
지나간 일에 발목을 잡히면 안 돼.

챔피언스리그……
이제 그것만
생각하자!

손흥민은 독일로 돌아가
새로운 시즌 준비를 했습니다.

새로운 시즌이 시작되기 전, DFB(독일 축구 협회) 포칼컵 1라운드에서 손흥민의 시즌 1호골이 터졌습니다.

10월 3일, UEFA 2라운드 베스트 11 선정

통산 두 번째 해트 트릭

총 40경기 17골 4도움

손흥민은 세 시즌 연속 두 자릿수 득점을 올리게 되었습니다.

세계인이 열광하는 스포츠, 축구

영국에서 시작된 축구는 1870년대부터 전 세계로 보급되었습니다. 축구를 접한 세계 각국은 곧 열광하기 시작했습니다. FIFA 회원국의 숫자가 국제 올림픽 위원회인 IOC의 회원국보다 많다고 하니, 세계인들이 얼마나 축구를 사랑하는지 알 수 있습니다.

축구장은 자신이 좋아하는 팀을 응원하는 소리로 가득합니다.

사람들이 축구에 빠져들 수밖에 없는 이유를 과학적인 측면에서 분석한 내용을 살펴볼게요. 축구장에서 경기의 시작과 동시에 휘슬이 울리면 거대한 함성 소리가 울려 퍼집니다. 쉴 새 없이 터지는 플래시와 관중들의 응원가, 경기장을 누비는 선수들의 땀과 거친 숨소리 등은 인간의 시각과 청각을 동시에 자극시켜 흥분 상태로 만든다고 해요. 기분 좋은 흥분을 경험한 사람들은 마치 축구와 사랑에 빠진 듯한 감정을 느끼게 되는 것이랍니다.

who? 지식사전

한국 주요 스포츠 경기당 평균 관중 수

스포츠는 사람들을 하나로 모으는 특별한 힘이 있어요. 그리고 때로는 전쟁도 멈출 만큼 특별한 힘을 발휘하기도 합니다. 사람들이 스포츠에 열광하는 이유는 여러 가지가 있지만, 그중에 가장 큰 이유는 바로 뜨거운 열기를 느낄 수 있다는 점이에요. 그럼 우리나라 주요 프로 스포츠 중 가장 많은 관중을 동원하는 종목은 무엇일까요? 바로 야구예요. 코로나19로 인해 리그 운영이 제대로 되지 못한 2020~2021년을 제외하고 경기당 평균 만 명 정도의 관중 수를 기록하고 있어요. 1년으로 보면 700~800만 명 정도의 관중을 동원하고 있지요. 야구 다음으로 축구, 농구, 배구 순으로 많은 관중 수를 기록하고 있으며, 각 종목별로 관중 수 확대를 위해 마케팅 등 많은 노력을 기울이고 있답니다.

재미로 보는 축구 기록들

세계인이 사랑하는 스포츠인 축구는 그 인기만큼이나
관련된 모든 것이 화제가 되기도 해요. 세계적으로
유명한 선수들의 이적 소식은 큰 관심이 쏠리지요.
세계 4대 리그의 시즌이 열릴 시기에는 경기 몇 시간 전부터
각 클럽의 이름들이 검색어 순위 상위권에 등장하기도 해요.
그뿐만 아니라 축구와 관련된 통계나 이슈가 발표될 때면 전
세계인의 이목이 집중되지요. 그럼 지금부터
축구와 관련된 흥미로운 사실 몇 가지를 알아볼까요?

세계 축구 선수들의 연봉 순위

영원한 라이벌로 거론되는 축구 천재 메시와 공격의 신 호날두
는 얼마나 많은 연봉을 받을까요? 계약 연봉에 따라 차이가
나지만 두 사람은 항상 세계 축구 선수 연봉 순위에서 상위권에
들어가 있습니다. 이렇게 세계적인 명성을 지닌 축구 선수들은
상상을 초월하는 연봉을 받는 것으로도 유명한데, 이들이
구단을 옮길 때가 되면 전 세계 축구 팬들은 과연 얼마의
이적료를 받을 것인지에 대해 촉각을 곤두세워요.

전 세계 축구 선수 중 2021년 기준 연봉 2위
리오넬 메시

국내 주요 프로 스포츠 평균 관중 순위(2019년 기준)

순위	스포츠	평균 관중(명)	총계(명)	경기 수(회)
1	야구	10,280	7,535,075	733
2	축구	5,769	2,376,923	412
3	농구(남)	2,992	873,782	293
4	배구	2,535	580,448	229
5	농구(여)	1,090	122,055	112

*2020년, 2021년은 코로나19로 리그 운영이 정상적으로 되지 않아 제외

축구 선수들이 높은 연봉을 받는 것은 그만큼 팀의 승리와도 깊은 관계가 있기 때문에 각 구단에서는 뛰어난 선수들을 영입하기 위해 거액의 연봉을 제시하면서 치열한 경쟁을 벌인답니다.

세계 축구 선수 연봉 Top 10(2021년 기준, 포브스)

순위	선수 이름	연봉
1위	크리스티아누 호날두(맨체스터 유나이티드 FC)	1억 2,500만 달러(약 1,677억 원)
2위	리오넬 메시(파리 생제르맹 FC)	1억 1,000만 달러(약 1,476억 원)
3위	네이마르(파리 생제르맹 FC)	9,500만 달러(약 1,274억 원)
4위	킬리안 음바페(파리 생제르맹 FC)	4,300만 달러(약 577억 원)
5위	모하메드 살라(리버풀 FC)	4,100만 달러(약 550억 원)
6위	로베르트 레반도프스키(FC 바르셀로나)	3,500만 달러(약 469억 원)
7위	안드레스 이니에스타(비셀 고베)	3,500만 달러(약 469억 원)
8위	폴 포그바(유벤투스 FC)	3,400만 달러(약 456억 원)
9위	가레스 베일(로스엔젤레스 FC)	3,200만 달러(약 429억 원)
10위	에당 아자르(레알 마드리드)	2,900만 달러(약 389억 원)

*급여 외 파트너십 수익 등 포함

전 세계 축구 선수 중 2021년 기준 연봉 1위 크리스티아누 호날두

국제 대회 심판 선정

축구의 국제 대회 심판이 되기 위해서는 FIFA가 제시하는 공식 테스트를 모두 통과해야만 하고, 그 전에 각국의 축구 협회에서 부여하는 1급 심판 자격을 획득한 사람들에게만 테스트를 볼 수 있는 기회가 주어집니다. 국제 심판을 뽑는 시험은 체력 테스트와 이론으로 나뉘는데, 체력 테스트는 주로 달리기 실력을 보는 것이에요. 축구 경기에서 선수들보다 훨씬 많은 체력을 소모하기 때문에 운동 신경도 필수지요. 축구 경기의 주심이 한 경기에서 뛰는 거리는 평균 14~15킬로미터로, 선수 포지션 중에 많은 거리를 뛰어야 하는 미드필더보다 평균 2킬로미터나 더 뛴다고 알려졌어요. 그래서 체력 문제 때문에 국제 경기에 나서는 심판의 나이는 만 45세 이하로 제한되어 있지요. 그 밖에 외국어 능력을 알아보는 필기시험 등을 치른답니다.

축구 경기에서의 심판 ⓒ Jason Gulledge

세계인의 축제인 월드컵에 참가한다는 것은
선수들에게도 영광스러운 일이지만, 국제
심판들에게도 꼭 이루고 싶은 꿈의 무대와도
같아서 선수들 못지않게 치열한 경쟁의 과정을
거쳐요. 우리나라에서는 김영주 국제 심판이
2002 한일 월드컵에서 한국인 최초로 본선 무대
주심으로 선정되어 큰 화제를 모았답니다.

상대편 골라인을 넘어 터치다운하는 미식축구
© Christopher A. Lussier

풋볼(football)이 맞을까, 사커(soccer)가 맞을까?
결론부터 말하자면 둘 다 맞는 말입니다. 보통
축구는 풋볼로 많이 부르는데, 그 이유는
발로 공을 다룬다는 의미에서 'foot(발) +
ball(공)'이 합쳐진 명칭이기 때문이에요. 그런데 축구 종주국인
영국에서 축구만큼이나 인기 있는 스포츠로 알려진 럭비
역시 풋볼이라는 명칭을 사용하고 있습니다. 영국뿐 아니라
미국에서도 풋볼이라고 하면 많은 사람들이 미식축구(럭비와
축구를 혼합한 경기)를 떠올리기 때문에 축구와 럭비를 확실히
구분 지을 명칭이 필요했지요. 그래서 사커(soccer)라는 용어가
사용되기 시작한 것입니다.

'사커(soccer)'는
'association football'을
줄여서 만든 말로,
'association'은 '협회'를
뜻해요.

who? 지식사전

한국 축구 선수들의 병역 특례 기준

우리나라는 징병제 국가여서 남성들은 일정한 나이가 되면 병역 의무로 군대에 입대합니다. 그중 운동선수의 경우 전성기와
군 입대 시기가 맞물리게 되어 많은 고민이 따르지요. 그래서 우리나라에서는 운동선수를 대상으로 하는 '병역특례제도'가
존재하는데, 기준에 충족하는 선수들에 한해서 대체 복무를 하는 등의 병역 특혜를 받았어요. 아시안 게임 1위, 올림픽 대회
3위 이상이 되면 특혜를 받을 수 있으며, 우리나라뿐만이 아니라 대만, 이란 같은 징병제 국가에서도 비슷한 제도가 운영되고
있어요. 하지만 예외의 상황도 있는데, 대표적인 예가 2002 한일 월드컵입니다. 당시 대한민국 대표 팀의 16강 진출이
확정되자 황급히 법을 개정해 병역특례법을 적용받을 수 있도록 해 주었는데, 이는 월드컵 개최국으로 온 국민의 관심이 쏠린
상황에서 대표 팀 선수들이 4강 진출이라는 기대 이상의 성적을 올렸기 때문이랍니다.

세계인의 축구 스타!

2015년 8월 28일, 손흥민은 잉글랜드의 토트넘 홋스퍼 FC으로 이적했습니다.

토트넘 홋스퍼 FC는 런던 북부 지역 토트넘을 연고지로 하여 1882년에 창단된 축구 클럽으로, 프리미어리그에 소속되어 있습니다.

이영표 선수가 이 구단에서 2005년부터 2008년까지 활동했고, 손흥민은 한국인으로는 두 번째로 토트넘의 유니폼을 입게 된 것입니다.

그리고 역대 열세 번째 한국인 프리미어리거가 되었습니다.

토트넘 홋스퍼 FC는 공식 홈페이지에 첫 훈련을 하고 있는 손흥민의
모습을 공개하며, 손흥민에 대한 기대감을 보였습니다.

손흥민은 등번호 7번을 부여받았습니다.

프리미어리그에서도
훨훨 날아 주겠어!

2015년 9월 13일에 프리미어리그 5라운드, 토트넘과 선더랜드의 경기가 열렸습니다.
이때 손흥민이 선발 출전하며 프리미어리그 무대에 처음으로 등장했습니다.

하지만 전과 달리 조용한 움직임을 보여
팬들의 기대에 미치지 못했습니다.

너무 어려서 큰 무대에
적응을 못 했나?

뭐지? 어마어마한
이적료를 받았다기에
기대했는데…….

전반전부터 총 61분 동안 경기를 뛴 손흥민은
결국 후반 16분에 교체되었습니다.

이제 첫 번째 경기일 뿐이야.
너무 실망하지 마.

이적 후 첫 무대인데,
너무 아쉬워.

손흥민은 이 경기로 팀 내 최저 평점을 받았습니다. 그리고 축구 통계 사이트인 '후스코어드닷컴'에서도 팀 내 두 번째로 낮은 점수를 받았습니다.

숏 찬스에서 어이없는 실수까지······.

왜인지 몸이 너무 무거웠어. 프리미어리그는 처음이지만 신인도 아니잖아.

경기에 대한 생각을 너무 많이 해서 오히려 집중하지 못했던 거야.

너무 위축될 필요 없어. 적당한 긴장감만 유지하자.

그리고 팀과 나를 위해서라도 하루빨리 팀에 적응하는 게 중요해.

손흥민은 긴장감과 부담감을 벗어 내기 위해 새로운 환경에 적응하려 노력했습니다.

2015년 9월 17일, 토트넘 홋스퍼 FC의 홈구장인 화이트 하트 레인에서 2015-16 UEFA 유로파리그의 조별 리그 1차전이 열렸습니다. 상대는 *카라바흐였습니다.

여기 토트넘의 홈구장이야. 팬들 앞에서 내 실력을 증명해야 해.

데뷔 무대를 만회하려는 듯, 손흥민은 이 경기에서 동점 골과 역전 골을 넣으며 자신의 기량을 선보였습니다.

손흥민이 후반 23분에 교체되어 나갈 때 관중들은 기립 박수를 쳤고, 이 경기로 팀내 최고 평점인 9.2점을 받았습니다.

* **카라바흐** 아제르바이잔의 축구팀

하지만 손흥민은 *족저근막염 부상을 입었고,
무리하게 경기를 뛰기 보다는 안정을 취하며 치료에 임했습니다.

경기에 나가지 못하는 건
아쉽지만, 치료가 우선이야.
얼른 나아서 다시 무대에 서야지.

그 후 손흥민은 총 40경기에 출전하여 8골과 6도움으로 시즌을 마무리했습니다.
분데스리가에서 보여 준 결과에 미치지 못하는 성적이었습니다.

하…… 부상을
핑계 대지 말아야 해.
내가 부족했던 거야.

* **족저근막염** 발뒤꿈치 뼈에서 발바닥 앞쪽까지 연결된 근육막인
'족저근막'에 생기는 염증. 발을 무리하게 사용하거나 여성의 경우
굽이 높은 구두를 자주 신을 때 발생하는 질환

손흥민은 시즌이 시작하자마자 한 경기에서 두 골을 넣어 'MOM(Man Of the Match)'에 선정되었습니다. 이후 특유의 골 감각과 스피드로 팀이 우승하는 데 기여해 라운드마다 베스트 11에 이름을 올렸고, 득점 기록을 경신하며 우수한 경기력을 보였습니다.

* **손세이셔널** 함부르크 SV에서 좋은 모습을 보여 해외 언론에서는 'sensational(선풍적인)'의 앞글자를 바꾸어 'sonsational'로 그의 활약상을 설명했고, 손흥민의 별명이 되었음

이번 시즌에 승부를 걸겠어.
한국인 프리미어리거의
실력을 보여 주지!

손흥민의 다부진 각오와 함께 2016-17 시즌이 시작되었습니다.

손흥민은 2016-17 시즌을 47경기 출전에 21골 7도움을 기록하며,
해당 시즌 중 '이달의 선수상'을 두 번이나 받은 유일한 선수가 되었습니다.

그리고 그의 기록은 아시아 출신 프리미어리거의 리그 최다 골이었고, 이는 '차붐'이라 불리는 차범근 선수가
1985-86 시즌에 기록한 아시아인 유럽 리그 시즌 최다 골 기록인 19골을 넘어선 것이었습니다.

하지만 2017년 6월 14일, 2018 러시아 월드컵 최종 예선 8차전
카타르와의 경기에서 오른팔이 골절되는 부상을 당했습니다.

부상에서 어느 정도 회복이 된 손흥민은 프리미어리그 2017-18 시즌에 합류했습니다.

파앙-

초반에는 부상의 여파로 몸싸움을 자제하는 등 조심스러운 움직임을 보였지만, 곧 특유의 경기력이 살아났습니다.

와-아-

2017년 9월에 열린 챔피언스리그 H조 1차전, 보루시아 도르트문트와의 경기에서 터트린 시즌 1호골을 시작으로 총 53경기에서 18골 11도움을 기록했습니다.

시즌이 끝났다. 앞으로는 하나의 목표만 바라봐야 해. 바로 월드컵과 아시안 게임!

2017-18 시즌에 총 여덟 번의 'MOM(Man Of the Match)'에 선정되었고, 두 시즌 연속 두 자릿수 득점을 했습니다. 유럽 언론에서는 이런 손흥민에게 박지성의 모습이 보인다며 호평을 했습니다.

2018년 5월 28일, 대구에서 대한민국과 온두라스의 월드컵 평가전이 열렸습니다.
손흥민은 기성용 선수를 대신해 주장 완장을 차고 선발 출전했습니다.

처음으로 주장 완장을 찼어.
내가 동료들을 잘 이끌어야 해!

전반전을 0:0으로 끝낸 후, 후반 14분

이승우가
손흥민에게 패스,
그리고 손흥민의 슛!

팡

FIFA WORLD CUP RUSSIA 2018

2018년 6월 14일, 2018 러시아 월드컵이 시작되었습니다. F조에 속한 대한민국은 스웨덴, 멕시코, 독일과 조별 예선을 치러야 했습니다.

스웨덴과의 첫 번째 예선전에서 0:1로 패

이어진 멕시코와의 2차 예선에서는 손흥민이 골을 넣었지만 1:2로 패했습니다.

그리고 독일과의 3차전이 열린 카잔 아레나

와

와

부상 때문에 출전하지 못한 기성용을 대신해 주장 완장을 차고 손흥민이 출전하였습니다.

상대가 FIFA 랭킹 1위라고 해도 달라지는 건 없어. 오로지 승리뿐!

대한민국 대표 팀은 강호 독일을 상대로 팽팽한 경기를 펼쳤습니다. 후반전 추가 시간 3분쯤에 터진 김영권의 선제골로 대한민국이 1:0으로 앞서가고 있었습니다.

월드컵 이후, 손흥민은 곧 있을 아시안 게임의 금메달 여부와 상관없이 토트넘 홋스퍼 FC와 2023년까지 재계약을 맺었습니다.

그리고 2018년 8월 18일부터 열린 아시안 게임. 와일드 카드로 뽑힌 손흥민은 대표 팀을 이끄는 주장이 되었습니다.

최전방에서
해결하기 보다는
선수들을 뒷받침해 주는
조연 역할을 해야 해.
그게 나의 몫이야.

예선 1차 바레인전에서는 6:0으로 승리했지만 예선 2차 말레이시아전에는 1:2로 패배.

무난히 16강에 오를 것이란 예상을 깨고 예선 2차전에서 패하자 대한민국 대표 팀의 분위기는 무거워졌고, 주장인 손흥민은 쓴소리를 하며 팀을 재정비하였습니다.

그리고 예선 3차 키르키스스탄전에서 손흥민이 후반전에 골을 넣어 조별 순위 2위로 16강에 진출했습니다.

우리 팀 선수들은 모두 성인이고 프로 무대에서 뛰고 있다. 말레이시아전은 창피한 패배야. 남은 경기에서는 절대 그런 모습을 보여선 안 돼.

16강의 상대는 이란이었습니다.
대한민국은 황의조와 이승우가 골을 넣어
2:0으로 승리했습니다.

그리고 우즈베키스탄과의 8강. 황의조의 해트 트릭과
황희찬의 쐐기 골로 4:3이 되어 4강에 올랐습니다.

4강의 상대는 대한민국의 박항서 감독이 이끌며
베트남의 축구 신화를 일으키고 있는 베트남

대한민국 대표 팀은
이승우의 재치 넘치는 두 골과
황의조의 마무리 골 덕분에
3:1로 승리했고, 결국 결승에
진출하게 되었습니다.

2018년 9월 1일. 대한민국과 일본의 결승전이 열렸습니다.

다른 건 생각하지 말자. 팀의 우승, 대한민국의 우승만 생각하는 거야.

딱 한 경기야. 이 경기에 모든 걸 쏟아 내자.

와

와

대한민국 대표 팀은 맹공격을 하며 일본의 골문을 두드렸으나, 양 팀 모두 득점 없이 전후반전을 마쳤습니다.

연장 전반전 2분 40여 초가 흘렀을 때, 골대 가까이에 있던 손흥민에게 공이 패스되었습니다.

손흥민이 골대 정면으로 공을 몰았고, 옆에 있던 이승우가 일본의 골대를 향해 공을 차면서 드디어 첫 골이 터졌습니다.

그리고 몇 분 뒤. 손흥민이 좋은 위치에서 프리 킥을 찬 뒤, 이를 황희찬 선수가 강한 헤더로 받아치며 추가골을 넣어 금메달에 한 발짝 더 다가갔습니다.

하지만 일본은 곧 한 골을 넣어, 그라운드에는 팽팽한 긴장감이 돌았습니다.

일본 팀은 날카로운 공격을 이어갔지만, 대한민국 대표 팀은 끝까지 공격을 막아 내었습니다.

세계인의 축구 스타! **165**

주장 손흥민은 스타 플레이어지만 팀을 위해 궂은 역할도 마다하지 않은, 한 단계 더 성숙한 선수가 되었습니다.

이 금메달은 대한민국의 것이야. 우리 선수들과 코치진, 그리고 국민들께 감사하다. 아시안 게임에서 우승을 했지만 축구 선수로서 목표가 이게 전부는 아니야. 앞으로가 더 중요해!

2018-19 시즌에서 총 48경기 출전에 20골 9도움을 기록한 손흥민은 평소에도 꾸준히 훈련을 이어 갔습니다.

상대 골키퍼가 손을 쓸 수 없는 곳을 노려야 해.

뻥

이러한 연습 덕분에 프리미어리그에서 좋은 성적을 거둘 수 있었고, 아시아 축구 연맹(AFC) 올해의 국제 선수상을 여러 번 수상할 수 있었습니다.

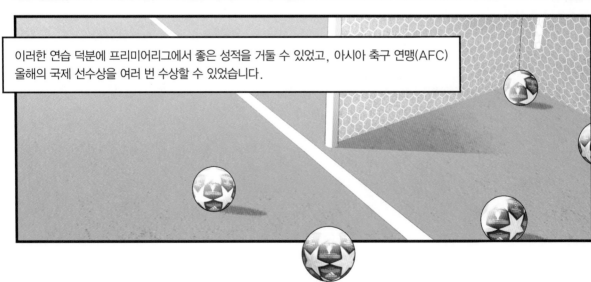

손흥민은 2019년 12월 3일 열린 발롱도르 시상식에서 최종 순위 22위에 올랐습니다.
이는 아시아 축구 선수 중 가장 높은 순위였습니다.

2019년 12월 8일, 번리와의 경기

손흥민,
상대 선수들을
제치고
달리기
시작합니다.

그대로 상대 팀의
골대를 향해 폭풍같이
질주합니다.

손흥민은 수십 미터를 질주해 골을 성공시키며 세계가
놀랄 만한 명장면을 만들어 냈습니다. 2019-20 시즌에서도
총 41경기 출전에 18득점 12도움으로 맹활약했습니다.

저렇게 질주하고도
숨을 쉴 수 있다니,
놀라울 따름입니다.

런던 풋볼 어워즈 프리미어리그
'올해의 골'

영국 BBC '올해의 골'

스카이스포츠, EPL
'역대 최고의 골 1위'

2020년 12월, 손흥민은 번리전에서 넣은 골로
국제 축구 연맹(FIFA)이 그해 가장 멋진 골을 선보인
선수에게 수여하는 푸스카스상을 수상했습니다.

2021년 1월 2일, 리즈와의 경기

손흥민이 케인의 패스를
이어받습니다!

좋아,
틈이 보인다!

툭

케인의 패스를 받은 손흥민은 절묘한 슛으로 골을 넣었습니다.

손흥민은 독일 레버쿠젠을 떠나 토트넘으로 이적한 지 약 6년 만에 253번째 경기에서, 토트넘 통산 100호 골을 달성했습니다. 2020-21 시즌 성적도 51경기 출전, 22득점 17도움으로 리그 정상급의 활약을 이어 갔습니다.

2021년 6월, 손흥민은 아시아 선수 최초로 잉글랜드 프로 축구 선수 협회(PFA)가 뽑은 '올해의 팀' 공격수 부문에 선정됐습니다.

PREMIER LEAGUE
STRIKERS

PFA
AWARDS
2021

SON
HEUNG-MIN

TOTTENHAM
HOTSPUR

2021
KFA 올해의 선수

손흥민

2021년 12월에는 대한 축구 협회가 선정한 올해의 선수상을 받아 이 부분 역대 최다 수상(6번)을 기록했습니다.

2022년 2월 26일, 리즈와의 경기

와

와

뻥

손!

케인이 준 기회를
놓치지 말자!

툭

1

슛~

GOAL!

또 하나의 새로운 기록이 탄생하는 순간입니다!

이날 경기에서 나온 골은 손흥민과 케인의 37번째 합작 골로, 기존 드록바–램파드 듀오가 가지고 있던 프리미어리그 최다 합작 골 기록을 깼습니다.

큰 영광이고 기록도 중요하지만, 팀이 이겨 승점을 딴 것이 중요합니다.

우리는 오랫동안 함께 경기를 해 왔기 때문에 서로 어떻게 경기하는지 잘 이해하고 있습니다.

손케 듀오라 불리며 명콤비를 자랑하던 손흥민과 케인의 합작 골 행진은 이후로도 이어져 41호 골까지 기록했습니다.

와

와

2022년 4월 10일, 손흥민은 아스톤 빌라와의 경기에서 시즌 첫 해트 트릭을 기록했습니다.

골!

15호 골

16호 골

17호 골

2021-22 시즌을 한 달 남짓 앞둔 시점에서 손흥민은 득점 단독 2위로 올라섭니다.
득점 선두인 리버풀의 살라와는 3골 차였습니다.

와

와

이런 기세라면 득점왕도 노려 볼 만하겠어.

득점왕이라······.

내가 과연 득점왕에 오를 수 있을까?

2022년 5월 23일, 2021-22 시즌 토트넘 프리미어리그 최종전

과연 손흥민이 프리미어리그 득점왕에 오를 수 있을까요?

득점 선두인 살라를 한 골 차인 21골로 뒤쫓고 있는 손흥민 입니다.

토트넘은 전반 월등한 경기를 펼치며 상대 팀을 압도했습니다.

하지만 좀처럼 손흥민의 골은 터지지 않았습니다.

후반 24분,
손흥민의 슛이 아쉽게도
상대 골키퍼의 선방에
막히고 맙니다.

이대로
포기할 수는 없어.
끝까지 최선을
다하자!

드디어 손흥민에게 기회가 찾아왔습니다.

손흥민 슛!

파

앙

그대로 골입니다!

와

와

마침내 살라와 득점 공동 선두에 오르는 순간이었습니다.

와

와

그로부터 4분 뒤, 더욱 놀라운 일이 벌어졌습니다.

손흥민!
손흥민!

수많은 관중이 나를
응원하고 있어!

제발!

손흥민의 트레이드 마크인 감아차기로
시즌 23호 골을 터트렸습니다.

득점왕 경쟁을 펼치던 살라 역시 마지막 경기에서 득점을 추가하며 손흥민과 살라는 공동 득점왕에 올랐습니다.

득점왕 트로피가 지금 제 손에 들려 있다니 믿기지 않습니다.

2021-22 시즌을 45경기 출전, 24득점 8도움으로 마감하고 2022-23 시즌을 시작한 손흥민에게 또 하나의 도전이 기다리고 있습니다. 바로 대한민국 국가 대표로 2022 카타르 월드컵에 참가하는 것입니다.

어릴 때부터 아버지의 특별한 교육으로
기본기를 탄탄히 쌓은 손흥민.

어린 나이에 홀로 독일로 유학을 가 분데스리가에서 뛰어난 경기력을 보이고,
프리미어리거로서 기록을 경신하고 있습니다.

또한 대한민국 국가 대표 팀의 주장으로 팀을 이끌며
한국 축구의 희망이 되었습니다.

대한민국의 국가 대표이자 유럽을 무대로 뛰어난 경기력을 보여 주고 있는 손흥민.
대한민국을 넘어 전 세계 축구 팬이 그의 이름을 외치고 있습니다.
AIA
7

어린이
생각 마당

어린이 친구들 안녕?
손흥민 이야기,
모두 재미있게 읽었죠?

책을 읽고 난 후에는 잠시 쉬는 시간도 필요해요.
이때 책과 연관된 활동을 한다면 훨씬 도움이 될 거예요.

책 속 부록 '어린이 생각 마당'에서는
책의 내용을 되새기고 머릿속 생각을 정리할 수 있는
재미있고 다양한 코너가 준비되어 있어요.

퀴즈를 비롯하여 다양한 독후 활동을 따라 하다 보면
어느새 **손흥민**과 무척 가까워진 자신을 발견하게 될 거예요.

모두 준비됐죠? 그럼 시작!

손흥민 선수와 같은
노력이라면,
그 어떤 꿈도 이룰
수 있을 것 같아요!

다 함께 풀어 보자,
퀴즈 한마당!

여러분, 지금까지 손흥민 선수에 대한 많은 이야기를 살펴보았는데,
어때요? 손흥민 선수가 한층 친근하게 느껴지지 않나요?
이제 손흥민 선수에 대한 몇 가지 문제를 낼 텐데,
읽었던 내용을 되새기면서 차근차근 풀어 보세요.

1 손흥민이 처음 독일로 축구 유학을 떠난 뒤, 입단하게 된 구단의 이름은?

① 레알 마드리드 ② 유벤투스 FC

③ 함부르크 SV ④ 맨체스터 유나이티드 FC

2 손흥민은 고등학교 재학 중에 독일로 유학을 떠났어요. 손흥민의 모교이기도 한
이곳은 손흥민 외에도 과거 이회택, 홍명보 등 우수한 선수들을 배출한
축구 명문으로 알려졌는데, 이 고등학교는 어디일까요?

① 대일 고등학교 ② 동북 고등학교

③ 춘천 고등학교 ④ 영일 고등학교

3 손흥민의 2022년 소속 구단은 토트넘 홋스퍼 FC입니다. 그렇다면 토트넘 홋스퍼
FC가 소속된 잉글랜드 프로 축구 리그의 명칭은 무엇일까요?

① K리그 ② 세리에A ③ 분데스리가 ④ 프리미어리그

4 우리나라 프로 축구 리그인 K리그는 경기마다 공을 관리하는 데 도움을 주는
볼보이가 있으며, 이들은 대부분 각 구단의 유소년 팀에 소속된 선수인 경우가
많습니다. 손흥민 역시 어린 시절 한 구단의 볼보이로 활약하며 축구 선수의 꿈을
키웠는데, 그곳은 어디일까요?

① FC 서울 ② 포항 스틸러스 ③ 수원 삼성 블루윙즈 ④ 강원 FC

5 손흥민이 소속되어 있던 독일의 프로 축구 리그 분데스리가는 한국 선수들과의
인연이 깊은 리그로도 알려져 있어요. 다음 중 분데스리가에 진출했던 한국 선수는
누구일까요?

① 차범근   ② 박지성   ③ 김병지   ④ 이천수

6 세계적인 인기를 누리는 축구 선수들에게는 팬들의 애정 어린 별명이 뒤따릅니다.
프리미어리그에서 승승장구하는 손흥민도 팬들이 붙여 준 여러 별명이 있는데,
이 중 손흥민의 별명이 아닌 것은 무엇일까요?

① 웸블리 왕자   ② 소니
③ 손날두   ④ 반지의 제왕

7 손흥민은 어린 시절 아버지에게 기본기를 반복해서 익히는 훈련을 받았어요.
그 덕분에 오늘날 기본기가 잘 잡힌 선수라는 평가를 듣고 있는데,
아래의 보기 중 축구의 기본 기술이 아닌 것은 무엇일까요?

① 드리블   ② 헤딩
③ 트래핑   ④ 덩크

내가 손흥민이라면?

1. 나도 시합에 나가고 싶어요!

공을 내 마음대로 다룰 수 없으면 축구를 할 수도 없는 거야.

그리고 너무 어릴 때부터 슈팅 연습을 하면 무릎에 무리가 가서 부상을 입을 수 있기 때문이지.

어린 시절 손흥민은 아버지에게 개인 지도를 받으며 축구를 배웠어요. 그런데 아버지는 기본기를 익히는 훈련에만 집중했고, 기본기를 충분히 익히지 못하면 다른 훈련을 시키지 않았어요. 아버지의 뜻을 잘 알기에 꾹 참고 고된 훈련을 견디긴 했지만 어린 마음에 멋지게 슛을 해 골을 넣고 싶은 마음도 간절했던 손흥민, 여러분이라면 어떻게 했을까요?

✱ 나라면……

----

2. 외로운 독일 유학 생활

2008년 대한 축구 협회가 선정하는 우수 선수로 뽑힌 손흥민은 독일로 유학을 떠나게 되었어요. 당시 손흥민은 열일곱 살, 혼자 머나먼 타국에서 낯선 이들과 함께 지내는 것이 쉽지만은 않았을 거예요. 만약 여러분이 낯선 땅, 낯선 환경, 낯선 언어 등의 상황이었다면 어떤

하하! 조, 조금만 천천히…… 얘기해 줄래? 내, 내가 아직 독일어가 익숙지 않아서.

기분이었을까요? 그리고 어떤 방법으로 위기를 헤쳐 나갔을까요?

✱ 나라면……

----

3. 국가 대표로서의 사명감

해외 스포츠 리그에서 활동하고 있는
선수 중, 국가 대표 팀에 소속된
이들은 국가 대항전이 있을 때마다
힘든 결정을 내려야 합니다. 왜냐하면
국가 대항전에 나가면 소속팀 경기에
출전하지 못하여 팀에 피해를 줄 수도
있기 때문이지요. 그럼에도 손흥민은

유소년 국가 대표를 했지만,
이건 달라. 나라를 대표하는 것이니,
최선을 다해야 해.

국가 대표로서 사명감을 지니고 대표 팀의 부름을 받으면 경기에 참가했답니다.
여러분이라면 어떤 결정을 내렸을까요?

✽ 나라면……

----

4. 부상 투혼

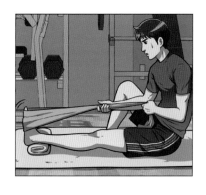

손흥민은 프리미어리그 2017-18 시즌에서 역대
시즌 최다 골을 경신하고, 선수 랭킹 Top 10에
이름을 올렸습니다. 그런데 시즌이 마무리될 무렵,
기록이 주춤해진 손흥민에 사람들은 의아해했어요.
알고 보니 발목 부상으로 6주 동안이나 진통제를
사용하면서 경기에 출전했던 거예요. 엄청난
고통을 참으면서도 시즌이 끝날 때까지 최선을 다한
손흥민, 여러분이라면 끝까지 경기에 참가했을까요?

✽ 나라면……

내가 만드는 축구 신문

세계의 많은 축구 팬들은 신문이나 잡지에 실린 축구 기사를 보면서 자신이
응원하는 팀과 선수들의 소식을 접하고, 새로운 소식들을 알게 됩니다. 반대로
선수들 입장에서는 축구 신문이나 잡지 1면에 자신의 모습이 실리는 것을 대단히
영광스러운 일로 여긴답니다. 축구와 관련된 핫이슈부터 소소한 이야기까지, 축구의
모든 정보를 다루는 매체인 축구 신문. 여러분이 직접 만들어 보면 어떨까요? 신문의
이름부터 1면을 화려하게 장식할 가상의 축구 뉴스까지, 자유롭게 기사를 작성해
신문을 만들어 보세요.

발행 일자

발행인

대한민국 축구 대표 팀의 서포터즈

"오~ 필승 코리아! 오~ 필승 코리아!"

대한민국 축구 대표 팀에게는 든든한 지원군, '붉은악마' 서포터즈가 있습니다.

대표 팀의 경기가 있을 때마다 힘찬 응원을 해 주어 대표 팀에게 힘을 실어 주지요.

여러분도 붉은악마 서포터즈가 되어 대표 팀에게 응원의 메시지를 남겨 볼까요?

축구는 물론 야구, 배구 등 전 세계와 힘을 겨루는 대한민국 대표 팀이라면 어떤

종목이든 상관없어요.

붉은악마 서포터즈의 엠블럼에는 붉은색 도깨비처럼 생긴 문양이 그려져 있어요. 여러분이 축구 대표 팀의 서포터즈를 직접 만든다고 생각해 보세요. 어떤 이름과 엠블럼을 만들고 싶나요? 여러분이 생각한 서포터즈 이름과 엠블럼을 아래에 그려 보세요.

손흥민

1992년	7월 8일 강원도 춘천에서 태어납니다.
2005년 14세	춘천 후평 중학교 축구부에 들어갑니다.
2008년 17세	FC 서울의 U-18팀이었던 동북 고등학교 축구부에서 선수로 활동합니다. KFA 우수 선수 해외 유학 프로젝트를 통해 독일 분데스리가의 함부르크 SV로 유학을 떠납니다.
2009년 18세	함부르크 유소년 팀 주전 공격수로 활약하였고, U-17 청소년 월드컵 국가 대표로 뽑혀 3골을 기록하고 한국을 8강으로 이끕니다.
2010년 19세	함부르크 19세 팀과 정식 계약하고 독일 U-19 리그에 출전해 활약하여, 10월에 함부르크 SV 소속으로 독일 분데스리가에 데뷔합니다. 그해 분데스리가 전반기 최우수 신인으로 선정됩니다. 11월에 터트린 유럽 데뷔 골은 함부르크 SV 구단의 123년 역사상 최연소 골로 기록됩니다.
2013년 22세	바이어 04 레버쿠젠으로 이적하고, ESPN 선정 올해 최고의 아시아 축구 선수로 선정됩니다.
2014년 23세	아시아 베스트 풋볼러, 2년 연속 대한 축구 협회가 선정한 올해의 선수상을 받습니다.
2015년 24세	프리미어리그 토트넘 홋스퍼 FC로 이적하고, 대한민국 퍼스트브랜드 대상 특별상을 받습니다.
2016년 25세	아시아 선수 최초로 프리미어리그 이달의 선수상(9월)을 수상합니다.

| 2017년 26세 | 아시아 선수 최초로 프리미어리그 이달의 선수상(4월)을 2회 수상하고, 한 경기에서 해트 트릭을 성공합니다. FA컵에서 최다 득점 (6골 1도움)으로, 아시아인 최초로 FA컵 득점왕에 오릅니다. |

| 2018년 27세 | 아시아 선수 최초로 프리미어리그 최다 득점 Top 10에 오릅니다. 2018 러시아 월드컵에 출전하였고, 같은 해에 열린 자카르타-팔렘방 아시안 게임에서 주장으로 팀을 이끌어 대회 2연패를 달성했습니다. |

| 2019년 28세 | 런던 풋볼 어워즈에서 프리미어리그 올해의 선수에 뽑혔고, 발롱도르에서 아시아인 최초로 30위 안에 들었습니다. |

| 2020년 29세 | 국제 축구 연맹(FIFA)이 그해 가장 멋진 골을 선보인 선수에게 수여하는 '푸스카스상'을 수상했습니다. |

| 2021년 30세 | 토트넘 통산 100호 골을 넣었으며, 대한 축구 협회가 선정한 올해의 선수상을 받아 이 부문 역대 최다 수상(6번)을 기록했습니다. |

| 2022년 31세 | 국제 축구 연맹(FIFA) 월드컵 공식 SNS의 메인 모델로 선정됐습니다. 프리미어리그 공동 득점왕에 오릅니다.(23골) 2022 카타르 월드컵에 주장으로 팀을 이끕니다. |

| 2023년 32세 | 아시아 선수 최초 프리미어리그 100호 골을 달성합니다. |

찾아
보기

who? 한국사

초등 역사 공부의 첫 단추! '인물'을 알아야 시대가 보인다

● 선사・삼국 ● 남북국 ● 고려 ● 조선 ● 근대

※ who? 한국사(전 46권) | 대상 초등학교 전 학년 | 책 크기 188×255 | 각 권 페이지 190쪽 내외

who? 인물 중국사

인물로 배우는 최고의 역사 이야기

※ who? 인물 중국사(전 30권) | 대상 초등학교 전 학년 | 책 크기 188×255 | 각 권 페이지 190쪽 내외

who? 아티스트

최고의 명작을 탄생시킨 아티스트들을 만나다

● 문화・예술・언론・스포츠

※ who? 아티스트(전 40권) | 대상 초등학교 전 학년 | 책 크기 188×255 | 각 권 페이지 190쪽 내외

who? 인물 사이언스

기술로 세상을 발전시킨 과학자들의 이야기

※ who? 인물 사이언스 (전 40권) | 대상 초등학교 전 학년 | 책 크기 188×255 | 각 권 페이지 180쪽 내외

who? 세계 인물

만화로 만나는 세상을 바꾼 위대한 인물들의 이야기

※ who? 세계 인물 (전 40권) | 대상 초등학교 전 학년 | 책 크기 188×255 | 각 권 페이지 180쪽 내외

who? 스페셜 · K-pop

아이들이 가장 만나고 싶고, 닮고 싶은 현대 인물 이야기

※ who? 스페셜 · K-pop | 대상 초등학교 전 학년 | 책 크기 188×255 | 각 권 페이지 190쪽 내외